Fin du monde
et petits fours

Édouard Morena

Fin du monde et petits fours

Les ultra-riches face à la crise climatique

Composé par Facompo à Lisieux
Maquette de la couverture : Ferdinand Cazalis
Dépôt légal : février 2023

ISBN 978-2-348-07455-4

À mes parents, Judith et Joël.

Introduction

À qui profite la crise ?

> « Au final, la réponse que l'on apporte à la contrainte écologique qui s'accélère se résume à une question de pouvoir – qui le détient, et à quelles fins il s'exerce. À la source du pouvoir dans l'économie globale il y a la force structurante de la propriété. »
>
> Adrienne Buller[1]

Depuis plusieurs mois, des voix s'élèvent pour demander la taxation, voire l'interdiction pure et simple des jets privés. Des partis politiques de gauche aux principales associations écologistes, les attaques se multiplient à l'encontre de ce symbole du mode de vie carbonifère des ultra-riches ; ultra-riches responsables, selon l'ONG Oxfam, de plus de la moitié des émissions cumulées de CO_2 liées à la consommation au cours de la période 1990-2015[2]. Cet intérêt pour les jets privés est symptomatique d'une focalisation plus large du débat climatique sur les comportements individuels. Moins consommer est présenté comme « l'action politique la plus viable pour remédier au changement climatique[3] ». Les riches

1. Buller, Adrienne (2022), *The Value of a Whale*, Manchester, Manchester University Press, p. 141.

2. Oxfam France (2020), « Combattre les inégalités des émissions des CO_2 », 21 septembre.

3. Huber, Matt (2022), *Climate Change as Class War. Building Socialism on a Warming Planet*, Londres, Verso.

sont les symboles d'une société de la surabondance et de l'excès qui va droit à sa perte. Tel un miroir grossissant, ils entretiennent notre propre « culpabilité carbone[4] ».

Ce qui distingue les ultra-riches du commun des mortels, ce n'est pas seulement leur mode de vie extravagant à base de jets privés et de super-yachts. C'est aussi leurs immenses fortunes ; des fortunes le plus souvent composées de liquidités, de biens immobiliers et d'actifs financiers. En général, ces différentes classes d'actifs sont administrées par des gestionnaires spécialisés grassement rémunérés pour faire fructifier leur patrimoine. BlackRock et Vanguard, les deux mastodontes du secteur, ont à eux seuls près de 20 000 milliards de dollars d'actifs sous gestion[5]. S'y ajoutent des centaines de gestionnaires d'actifs plus modestes – fonds d'investissement privés (*private equity*), fonds spéculatifs (*hedge funds*), fonds communs de placement. Selon une étude de Capgemini, les « individus à valeur nette élevée » (*high net worth individuals*), c'est-à-dire ceux dont la fortune est supérieure à 1 million de dollars, ont 70 000 milliards de dollars d'actifs sous gestion, c'est-à-dire confiés à des gestionnaires d'actifs[6]. À titre de comparaison, les fonds de pension et compagnies d'assurances ont respectivement 46 700 milliards (fin 2019) et 32 900 milliards (chiffres de 2018) de dollars d'actifs sous gestion.

C'est en abordant les riches sous l'angle de leurs portefeuilles d'actifs – et donc de leurs investissements – que l'on prend conscience de leur réel impact sur le climat. Comme l'a montré l'économiste Lucas Chancel dans un récent article, « la majeure partie des émissions des 1 % les plus riches de la population mondiale émane de leurs investissements plutôt que de leur consommation[7] ». Selon

4. *Ibid.*

5. Buller, Adrienne (2022), *The Value of a Whale*, *op. cit.*, p. 111.

6. Rodin, Judith et Saadia Madsbjerg (2021), *Making Money Moral. How a new wave of Visionaries is linking Purpose and Profit*, Philadelphie, Wharton School Press, 2021, p. 25.

7. Chancel, Lucas (2022), « Global Carbon Inequality Over 1990-2019 », *Nature Sustainability*.

ses calculs, en 2019, près de 70 % de leurs émissions étaient dus à leurs investissements (alors que, pour les 50 % les plus pauvres, ce chiffre avoisine les 5 %-6 %). Chancel montre aussi comment le poids relatif des investissements dans l'empreinte carbone des plus riches n'a fait que s'accroître depuis les années 1990, notamment à cause du creusement des inégalités. En bref, plus il y a d'inégalités de richesses et plus la responsabilité des riches dans la crise climatique est grande du fait de leurs choix d'investissements. Dans un rapport sur la France publié en juillet 2022, Greenpeace et Oxfam arrivent peu ou prou à la même conclusion. Ils montrent comment l'empreinte carbone du patrimoine financier d'un milliardaire français, en moyenne, s'élève à 2,4 millions tCO_2 eq. (sur les 63 milliardaires étudiés). Celle du patrimoine financier d'un Français moyen s'élève à 10,7 tCO_2 eq. ![8]. *Via* leur patrimoine financier, Gérard Mulliez (Auchan), Rodolphe Saadé (CMA CGM) et Emmanuel Besnier (Lactalis) émettent autant de CO_2 que 20 % de la population française. Et encore, les deux ONG ne tiennent compte que des actifs financiers détenus par ces milliardaires dans leur « entreprise principale », c'est-à-dire l'entreprise dans laquelle ils détiennent le plus de parts. Une prise en compte de leurs autres investissements aurait certainement donné des chiffres encore plus choquants.

La force de frappe financière des ultra-riches et des gestionnaires d'actifs qui administrent leurs fortunes leur confère un pouvoir considérable sur l'économie réelle, et en particulier sur les entreprises où ils investissent. En 2020, les « trois grands » gestionnaires d'actifs – BlackRock, Vanguard, State Street – contrôlaient 12 % des parts des entreprises du FTSE100, regroupement des cent entreprises les mieux capitalisées cotées à la Bourse de Londres. BlackRock figurait parmi les cinq principaux actionnaires de quatre-vingt-cinq

8. Greenpeace France (2022), « Milliardaires et climat : 4 chiffres qui donnent le vertige », 21 juillet.

d'entre elles[9]. Et, en même temps, ces centaines de milliards d'euros investis les exposent potentiellement aux conséquences du dérèglement climatique et des éventuelles politiques mises en œuvre pour y faire face. Les dégâts matériels et économiques engendrés par un ouragan, une inondation ou une sécheresse prolongée auront des conséquences sur la valeur de leurs portefeuilles d'actifs, et donc sur leurs fortunes. On peut dès lors comprendre tout l'intérêt que les ultra-riches et les gestionnaires d'actifs ont à investir le débat climatique. En tant que détenteurs d'actifs « forceurs de climat » et « vulnérables au climat », pour reprendre la terminologie développée par Jeff Colgan, Jessica Green et Thomas Hale, les ultra-riches s'exposent à des risques financiers mal, voire non maîtrisés[10]. Comme l'écrivent Colgan, Green et Hale, « l'évolution du changement climatique et les mesures déployées pour y faire face ont un impact sur la valeur de ces actifs[11] ».

Face à une catastrophe climatique qu'ils estiment inéluctable et incontrôlable, certains ultra-riches font le choix du repli sur (l'entre-)soi. Pariant sur l'effondrement environnemental, économique, social et politique, ils investissent dans des bunkers de luxe au milieu du désert de l'Arizona ou au fin fond de la Patagonie et de la Nouvelle-Zélande. C'est l'histoire que raconte Douglas Rushkoff dans son livre *Survival of the Richest. Escape Fantasies of the Tech Billionaires.* Au fil des pages, Rushkoff nous plonge parmi un groupe de milliardaires survivalistes américains ayant bâti leurs fortunes dans la tech. Il nous raconte comment ces « preppers » haut de gamme investissent dans des communautés agricoles autosuffisantes et ultrasécurisées et des bunkers souterrains de 30 000 m^2 avec piscine, cave à vins, spa et club de gym. « Ce n'est pas parce que c'est la fin du monde, nous explique

9. Buller, Adrienne (2021), « Goliath and Goliath. Asset Management and Ownership in the UK Economy », *CommonWealth*, 29 mars.

10. Colgan, Jeff, Jessica Green, et Thomas Hale (2021), « Asset Revaluation and the Existential Politics of Climate Change », *International Organization*, 75(2), p. 586-610.

11. *Ibid.*

un journaliste du magazine *Forbes*, qu'on ne peut pas vivre dans l'opulence[12]. » Comme le résume Rushkoff, leur seule obsession est de se prémunir du changement climatique en s'éloignant des autres[13]. Mais, comme nous le verrons dans ce livre, de nombreux riches font le choix inverse. Au lieu du repli sur soi, ils privilégient l'engagement et, en particulier, l'orientation des politiques climatiques pour à la fois atténuer la menace que fait peser la crise climatique sur leurs actifs et « transformer [...] l'atténuation de cette menace en une nouvelle source de profits[14] ».

Entrisme et entre-soi

Début de la vidéo promotionnelle. Voix off de la primatologue britannique Jane Goodall. « Je m'appelle Jane Goodall. J'ai quatre-vingts ans. Ma mère m'a appris que si tu veux vraiment quelque chose, tu dois être prêt à travailler très dur, tirer parti des opportunités et, par-dessus tout, ne jamais rien lâcher. » Quartet à cordes. Fond sonore à base de violons et violoncelles. Sourires. Dents parfaites. Champagne. Feu de cheminée. Ambiance « cozy ». Paysage enneigé. Plats raffinés. *Winter paradise*. Main piochant dans un bol rempli de badges estampillés « Choisissez l'amour ». *Working lunch*. Al Gore. « Fauteur de Trouble en Chef » imprimé en grand sur le dos d'une veste. Embrassades. Nouvelle tablée. Bouteille de bière fraîche dont l'étiquette mentionne « électricité 100 % renouvelable ». Jane Goodall debout avec un micro. Le prince Charles et Greta Thunberg côte à côte. Le prince Charles, Jane Goodall et Al Gore qui discutent. Christiana Figueres, l'ancienne directrice exécutive de la Convention climat de l'ONU. John Kerry, l'ancien secrétaire d'État américain.

12. Dobson, Jim (2015), « Inside The World's Largest Private Apocalypse Shelter, The Oppidum », *Forbes*, 5 novembre.

13. Rushkoff, Douglas (2022), *Survival of the Richest. Escape Fantasies of the Tech Billionaires*, Londres, Scribe, p. 12.

14. Buller, Adrienne, « Green Capitalism is a Myth », *Tribune*, 3 août 2022.

Extrait d'un discours du prince Charles : « Le temps de l'action, c'est maintenant. » Retour des violons. Message : « Dix arbres plantés pour chaque invité. » Logos des partenaires. Plan large sur la maison dans un paysage enneigé. Fin de la vidéo.

Bienvenue à l'édition 2020 de « Davos House », le summum de l'entre-soi climatique. Tous les ans, à l'occasion du Forum économique mondial, le club-house du terrain de golf de Davos en Suisse se convertit en « hot spot » pour financiers philanthropes, entrepreneurs à succès, responsables d'ONG, célébrités, anciens ministres et chefs d'État, « *thought leaders* » et experts en tout genre, pour parler climat et développement durable au coin du feu. Lorsqu'ils ne profitent pas des cocktails dînatoires et des soirées à thème, les invités de Davos House se rendent aux nombreux autres événements organisés dans la station de ski alpine. Lors de l'édition 2020, l'ancien vice-président américain Al Gore, qui codirige Generation Investment Management (GIM), une société de capital-risque spécialisée dans les investissements bas carbone, a gratifié les participants au Forum d'un discours passionné sur la gravité de la situation : « Le fardeau d'agir qui repose sur les épaules des personnes qui vivent aujourd'hui est difficile à imaginer. Mais c'est [la bataille des] Thermopyles ! C'est Azincourt ! C'est la bataille des Ardennes ! C'est Dunkerque ! C'est le 11 Septembre ! » Lors de la même séance, Jane Goodall, la célèbre éthologue et anthropologue britannique, explique que le problème est avant tout démographique : « Toutes ces choses dont on discute ne seraient pas un problème si la population mondiale était celle d'il y a cinq cents ans[15]. » Le contraste entre le catastrophisme du discours et l'opulence du décor a de quoi surprendre. Voilà pourtant les banquiers, riches hommes et femmes d'affaires et capitaines d'industrie rassurés. Le problème, c'est les autres. Jane et Al seront donc réinvités.

---

15. Alberro, Heather (2020), « Why we Should be Wary of Blaming "Overpopulation" for the Climate Crisis », *The Conversation*, 28 janvier.

Gore et Goodall s'adonnent à un entrisme d'un genre particulier, où le champagne et les petits-fours sont un outil au service de la conversion des riches à leur cause. C'est un entrisme de l'entre-soi où les élites parlent aux élites. À la stratégie de l'évitement des milliardaires survivalistes, ils préfèrent l'engagement. L'objectif reste le même – la préservation de soi – mais, contrairement aux survivalistes, ces activistes climatiques d'un genre nouveau estiment qu'en s'engageant et en orientant le débat et les choix politiques, ils pourront éviter le pire, voire s'enrichir et conforter un peu plus leur pouvoir. À bord de leurs jets privés, ils vont de pays en pays et de rendez-vous climatique en rendez-vous climatique pour prêcher *leur* bonne parole parmi leurs semblables et auprès des décideurs politiques.

La jet-set climatique

Al Gore et Jane Goodall font partie de ce que Kevin Anderson, climatologue britannique, appelle le « climate glitterati », ou « jet-set climatique ». Il s'agit d'un groupe relativement restreint d'individus partageant une même vision de l'enjeu environnemental et engagés dans un effort coordonné d'orientation du débat climatique : « [Avec leurs] énormes empreintes carbone, [ils] parcourent le monde […] pour nous dire comment lutter contre le changement climatique[16]. » À Paris, New York, Davos ou Shanghai, ils ressassent inlassablement le même discours, savant mélange de constat d'urgence, critique du manque d'ambition des États, célébration des forces de marché et d'autosatisfecit quant à leur propre rôle de « champions » de la cause climatique. À l'époque des 402 ppm, des événements climatiques extrêmes à répétition et des rapports du GIEC plus alarmants les uns que les autres, ils incarnent une nouvelle conscience climatique de classe fondée sur l'idée que leur

16. Hunziker, Robert (2019), « Capitalism's Ownership of Global Warming », *CounterPunch*, 14 février.

propre salut en tant que riches et la préservation de leurs privilèges passeront par la substitution d'une variété de capitalisme – le capitalisme fossile – par une autre – le capitalisme vert –, qui mêle atténuation des risques pesant sur le capitalisme du fait du dérèglement climatique et création de nouvelles opportunités d'enrichissement en lien avec la décarbonation[17].

La « jet-set climatique » ne se réduit pas aux seules têtes d'affiche de Davos. Gore, Goodall et consorts sont la pointe émergée d'un iceberg regroupant experts, consultants en tout genre, représentants d'ONG, célébrités, fondations et *think-tanks*, hauts-fonctionnaires, bureaucrates onusiens, communicants et scientifiques, qui agissent de concert pour orienter l'agenda climatique et « naturaliser » le capitalisme vert. Comme l'explique Anderson, ce sont eux, qui « fixent l'ordre du jour à travers lequel nous autres travaillons. Tant qu'ils serviront de lien entre la mentalité Davos et le milieu de la recherche, le changement climatique continuera à être réduit à un enjeu techno-économique fallacieux[18] ». C'est cette infrastructure du débat climatique – mélange d'individus, d'initiatives et d'organisations – que je me propose d'explorer dans ce livre. Ses origines. Sa composition. Ses codes. Sa « théorie du changement » et sa « vision du monde », pour reprendre ses propres termes. Mais aussi ses limites et ses dangers. Il s'agit au fond de montrer que le cadrage dominant à base de marchandisation de la nature, de technologies et d'innovations, d'injonctions à l'action et de mises en scène des élites est le fait d'un écosystème relativement restreint et autosuffisant d'individus interdépendants qui, au fil des ans, naviguent allègrement d'une initiative et organisation à l'autre sans jamais sortir du cadre général. Il en découle un entre-soi qui participe au « schisme de réalité » décrit par Amy Dahan et Stefan

17. Buller, Adrienne (2022), « Green Capitalism is a Myth », *loc. cit.*

18. Hunziker, Robert (2019), « Capitalism's Ownership of Global Warming », *op. cit.*

Aykut entre débat climatique international et réalités sur le terrain[19].

Fin du monde et petits fours

Dans un premier temps (chapitre 1), nous verrons comment un collectif plutôt restreint d'individus fortunés s'est mobilisé et structuré au début des années 2000 pour peser sur le débat climatique en vue de la Conférence de Copenhague sur le climat en 2009 (COP15). Cette avant-garde éclairée de la classe dominante a identifié avant les autres l'intérêt qu'avaient les super-riches à s'impliquer dans le débat climatique pour l'orienter et en tirer profit. Plusieurs figures de proue du capitalisme climatique sont de riches hommes d'affaires qui ont bâti leurs immenses fortunes grâce au développement, à partir des années 1990, des nouvelles technologies de l'information et de la communication, et de la finance privée, en particulier dans le domaine de la gestion d'actifs. Pour ces « self-made men », l'engagement – personnel, financier – dans le débat climatique représente une manière de se distinguer et de se légitimer dans l'espace public et dans les cercles d'élites, un moyen de garantir ses intérêts de classe en transférant les risques liés à la crise et à la transition bas carbone sur la collectivité, et en même temps une source de nouvelles opportunités économiques. Ces *businessmen* n'hésitent pas à « personnaliser » l'enjeu climatique en mettant en avant leurs trajectoires personnelles, leurs qualités individuelles et managériales hors du commun – sens des affaires, intelligence exceptionnelle, ambition, mentalité stratégique, agilité – et ainsi à se présenter comme les seuls capables de nous guider vers un monde bas carbone.

La valorisation du carbone et sa conversion en marchandise échangeable sur les marchés financiers sont au cœur du projet de capitalisme vert. Comme nous le verrons dans

19. Aykut, Stefan et Amy Dahan (2015), *Gouverner le climat ? Vingt ans de négociations internationales*, Paris, Presses de Science Po.

le chapitre 2, en valorisant les forêts et autres puits naturels de carbone, les élites climatiques ne vont pas seulement créer de nouvelles opportunités économiques pour les ultra-riches, mais aussi favoriser une convergence entre, d'un côté, les élites conservatrices et conservationnistes, souvent grands propriétaires terriens et adeptes des parcs naturels et des thèses néomalthusiennes, et de l'autre, les nouvelles élites économiques issues de la tech et de la finance. C'est notamment l'inclusion des forêts dans les mécanismes de marché qui favorisera ce rapprochement. De simples puits de carbone, les forêts sont devenues des puits de crédits carbone pouvant être échangés sur les marchés internationaux. Cette marchandisation carbone des forêts va attiser de nombreuses convoitises et créer de nouvelles vocations, et ce, malgré des résultats pour le moins douteux en matière de réduction des émissions et de protection des populations locales.

Dans le chapitre 3, nous nous intéresserons à un acteur clé de la « nomenklatura capitaliste[20] » – le conseil en stratégie – et à son rôle dans la normalisation du capitalisme vert. Nous verrons comment McKinsey & Co., la prestigieuse société de conseil en stratégie s'est imposée, au cours de la période qui mena à la COP15, comme un acteur incontournable du débat climatique international et comment la firme américaine a diffusé, parmi les acteurs publics et privés, du Nord comme du Sud, une compréhension commune de l'enjeu et des solutions. En particulier, chiffres et présentations PowerPoint à l'appui, McKinsey a diffusé l'idée que la décarbonation de nos sociétés n'était pas seulement nécessaire du point de vue environnemental, mais souhaitable du point de vue économique, et que les entreprises et les investisseurs privés étaient les mieux à même de porter cette transition.

L'échec de la conférence de Copenhague (COP15) fut interprété par les élites climatiques comme un échec de communication. Selon elles, c'était moins le cadrage dominant

20. Kempf, Hervé (2007), *Comment les riches détruisent la planète*, Paris, Seuil, p. 77.

de l'enjeu et les solutions proposées qui étaient en cause, que l'incapacité des élites climatiques à contrôler le discours. Cibler les seuls décideurs politiques et élites économiques ne suffisait plus. Il fallait désormais engager de nouveaux publics – et en particulier les scientifiques – afin de s'assurer que leur discours soit aligné sur celui des élites et leur projet d'accord climatique. Comme nous le verrons dans le chapitre 4, c'est dans ce contexte qu'une nouvelle catégorie d'acteurs va voir le jour et s'imposer parmi les élites climatiques : les experts et spécialistes en communication. L'accord de Paris, en signant le passage vers un mode de gouvernance où les traités internationaux et les conférences climat onusiennes apparaissent de plus en plus comme des outils stratégiques et performatifs, n'a fait que renforcer leur rôle. Désormais, la priorité est à la production de récits enchanteurs, de « signaux » et de « momentum », censés inciter les politiques, les entreprises et les consommateurs à s'engager sur la voie de la transition bas carbone.

Dans le dernier chapitre (chapitre 5), nous nous intéresserons aux liens complexes entre élites climatiques et mouvement climat. On observe, depuis la fin 2018 et la publication du rapport du GIEC (sur les 1,5 °C), une montée en puissance des mobilisations pour le climat. En parallèle, les élites climatiques fournissent un effort concerté de réappropriation et d'instrumentalisation du mouvement climat. De menace, le mouvement climat aux marges du processus de négociations onusien est devenu un outil au service du nouveau régime climatique instauré par l'accord de Paris et les intérêts qui le sous-tendent. Il est désormais de bon ton d'applaudir, voire d'encourager (et de financer) les marches pour le climat de Fridays for Future et les actions de désobéissance civile d'Extinction Rebellion. Les témoignages de sympathie se multiplient dans les médias et sur les réseaux sociaux. On se bouscule pour partager la scène ou être pris en photo avec Greta Thunberg. Comme un serpent constricteur, les élites climatiques cherchent à enserrer le mouvement climatique pour mieux l'étouffer, l'avaler et le régurgiter, vidé de son potentiel de transformation sociale.

Faut-il, dès lors, « manger » les riches, comme le prônait autrefois le groupe de heavy metal Motörhead ? C'est par cette question que nous conclurons cet ouvrage. Compte tenu de leur centralité dans le débat, de leur pouvoir politique, de leur poids économique et de l'urgence de la situation, peut-on se payer le luxe – sans mauvais jeu de mots – de s'en débarrasser, ou du moins d'en réduire le pouvoir de nuisance ?

1

Une conscience climatique de classe

> « Ce sont les investisseurs qui montrent la voie. »
>
> Al Gore[1]

Au cours des années 2000, de la Silicon Valley au West End de Londres, en passant par les beaux quartiers de New York, Paris et Genève, s'est dessiné un triangle d'or climatique composé de riches individus souvent issus ou proches des milieux de la tech et de la finance et partageant un même intérêt et une même vision de ce qu'il convient de faire pour le climat. Ces activistes d'un genre particulier brouillent volontairement les lignes entre leur engagement pour le climat et leur sens des affaires, passant allègrement de l'un à l'autre. Naviguant au sein des mêmes réseaux professionnels et amicaux et des mêmes cercles d'influence, ils partagent une même conscience climatique de classe. Celle-ci combine une conscience de l'impact du capitalisme fossile sur le climat, et donc du besoin de le réformer pour en atténuer les effets négatifs (tout en tirant profit de ces efforts d'atténuation), et une conscience aiguë des menaces que fait peser le dérèglement climatique sur leurs intérêts de classe et leur pouvoir. S'y ajoute une conscience des profits

1. Al Gore (2018), « Address to the UBS Investment Summit Davos 2018 », 8 mai.

à engranger en promouvant les mécanismes de marché et le technosolutionnisme.

Nous l'avons vu, les ultra-riches ne sont pas que des gros émetteurs. Ils sont aussi, à travers leurs patrimoines extraordinaires, exposés aux multiples risques associés au dérèglement climatique : dépréciation de leurs actifs, instabilité économique, politique et sociale, mesures et politiques autoritaires mises en place pour y faire face. Dans un monde où 10 % de la population concentre 75 % des richesses[2], où les 79 000 individus les plus fortunés détiennent 19 000 milliards de dollars d'actifs[3], et où, comme l'estimait l'économiste Nicholas Stern, l'inaction climatique menace de réduire le PIB mondial de 5 % par an, rester les bras croisés c'est s'exposer à terme au même avenir dystopique que le reste de la population mondiale ; un avenir à base de « lois martiales, de mesures d'urgence, de gestion des réfugiés, de cultes survivalistes, d'évacuations de masse, de nouvelles épidémies, de feux de forêts géants, ou de rationnements d'eau dans les villes affectées[4] ». Les agents de sécurité, les caméras, les murs et les barbelés qui entourent leurs résidences personnelles et autres *gated communities* feront pâle figure face à la multiplication des événements climatiques extrêmes et leurs conséquences économiques, politiques et sociales.

Avec le dérèglement climatique, on touche potentiellement aux limites du séparatisme social. Comme l'écrivait Bruce Sterling, écrivain cyberpunk, dans un texte publié fin 2007 dans le très branché magazine *Dwell*, « les riches ne peuvent pas se protéger du ciel : la hausse du niveau de la mer va submerger Martha's Vineyard [résidence d'été de la jet-set américaine] et la fonte des glaciers va les priver de Vail [station de ski très chic du Colorado][5] ». Les riches se

2. De Rivet, Savinien et Alice Clair (2021), « Les 10 % les plus aisés possèdent 75 % des richesses mondiales », *Libération*, 9 décembre.

3. Warwick-Ching, Lucy (2015), « Cascade Investment, Bill Gates' Wealth Manager », *Financial Times*, 21 octobre.

4. Sterling, Bruce (2007), « Another green world », *Dwell*, novembre.

5. *Ibid.*

trouvent ainsi confrontés à un problème global qui affecte (certes, de façon très différenciée) tout le monde. Qu'ils le veuillent ou non, ils partagent la même atmosphère que le reste de la population mondiale, et leurs bunkers de luxe et autres îles artificielles ne leur permettront pas de se soustraire complètement et indéfiniment aux conséquences d'une crise qui touche à l'ensemble des dimensions de la vie sur Terre[6].

En attendant de pouvoir s'exfiltrer et coloniser une autre planète – ce dont rêvent certains milliardaires –, il va falloir cohabiter et partager le même air. Lorsque les élites parlent d'« interdépendance » ou nous expliquent que « nous sommes tous dans le même bateau », c'est autant un appel à l'action qu'un aveu de faiblesse. C'est un aveu de leur incapacité à s'extirper d'un monde en surchauffe. Comme nous le verrons dans ce chapitre, les riches prédicateurs de l'action climatique ont parfaitement compris que leur « salut » passait par leur engagement dans le débat écologique et la mobilisation de leurs semblables. Ils ont aussi compris qu'en unissant leurs forces, ils pouvaient se servir de la crise climatique pour asseoir un peu plus leur domination de classe et continuer à s'enrichir.

Une soirée à Belgravia

Le 12 mars 2007, au Cadogan Hall, une imposante bâtisse de style néobyzantin située au cœur du très chic quartier de Belgravia, dans l'ouest de Londres, s'est tenue une soirée privée d'un genre un peu particulier, destinée à « offrir à un groupe choisi d'individus un regard unique [...] sur les formes d'action possibles pour s'attaquer au changement climatique ». La soirée attira nombre de filles et de fils de bonne famille et de membres du « *plutocratic London* » si bien raconté par la sociologue britannique Caroline

6. Lerolle, Maxime (2018), « Des milliardaires rêvent d'îles artificielles pour échapper au réchauffement », *Reporterre*, 23 janvier.

Knowles dans son livre *Serious Money*[7]. On pouvait y côtoyer Kate Weinberg, la journaliste et écrivaine à succès et fille de Mark Weinberg, le célèbre financier et gestionnaire de fortunes, ainsi que Miles Montgomery, aristocrate et grand propriétaire terrien écossais, ou encore la journaliste Emma Askari Roig, héritière de la richissime famille Roig en Espagne et habituée des soirées mondaines londoniennes. Étaient également présents Nathalie Farman-Farma, créatrice textile et fille de William Hewlett, le fondateur de Hewlett Packard, et son époux, Amir Ali Farman-Farma, gestionnaire d'un fonds d'investissement et descendant du shah d'Iran.

La soirée a démarré avec des interventions de James Hansen, le célèbre climatologue américain, Steve Howard, le PDG de l'ONG probusiness The Climate Group, et l'ex-consultant McKinsey et influent homme d'affaires Adair Turner. Elles furent suivies d'un cocktail et d'un dîner où les convives ont pu échanger avec des responsables d'ONG et d'entreprises en quête d'investisseurs. Lors de ce *speed-dating* d'un genre particulier, les convives ont ainsi discuté séquestration carbone et forêts tropicales avec Hylton Murray Philipson, un « éco-entrepreneur » et ami du prince Charles[8], énergie solaire avec Jeremy Leggett, le PDG de Solarcentury et ex-responsable de campagne chez Greenpeace International, compensation carbone avec Jonathan Shopley, le PDG de CarbonNeutral Company et ancien responsable environnement au cabinet de conseil Arthur D. Little, ou encore crédits carbone avec le « gourou vert[9] » et vétéran des négociations climatiques onusiennes James Cameron.

7. Knowles, Caroline (2022), *Serious Money. Walking Plutocratic London*, Londres, Penguin.

8. Comme nous le verrons dans le prochain chapitre, Murray Philipson sera impliqué dans le Prince's Rainforest Initiative, une initiative lancée par le prince Charles à la veille de la conférence climat de Copenhague en 2009.

9. Mazur, Laura et Louella Miles (2012), « James Cameron », dans *Conversations with Green Gurus. The Collective Wisdom of Environmental Movers and Shakers*, Londres, John Wiley & Sons, Ltd., p. 25-43.

« Il est vraiment beau, vraiment charmant et vraiment drôle. Les hommes veulent être comme lui, et les femmes l'adorent. » C'est en ces termes que l'on m'a présenté l'instigateur de la soirée : George Polk. Homme d'affaires américain vivant à Londres, Polk est un pur produit de la financiarisation de l'économie et de l'explosion des nouvelles technologies. Après des études à Harvard dans les années 1980, il a rejoint la banque d'affaires Merrill Lynch comme analyste financier. En 1988, il s'est lancé dans le business des nouvelles technologies de l'information et de la communication. Puis, en 2007, il s'est finalement engagé activement en faveur du climat. Son idée était simple : « éduquer » à la question climatique, au cours de dîners et de soirées privés, des gens d'influence et les mobiliser en faveur de « mesures politiques et sociales concrètes pour passer des discours à l'action[10] ». Par action, Polk entendait surtout des mesures favorables aux entreprises et investisseurs engagés dans la transition bas carbone. Car Polk avait beau s'être converti à la cause climatique, il restait, comme il aimait à le répéter, un « serial entrepreneur » dans l'âme.

Mobiliser les riches

Polk s'est adonné à un activisme climatique de salon où les références culturelles partagées, les liens de sociabilité, les réseaux amicaux et professionnels et la taille du compte en banque pesaient autant que les idées et la cause défendues. Comme l'a résumé Jeremy Grantham, richissime cofondateur de la société de gestion d'actifs GMO et philanthrope climatique, les élites « n'écouteront pas les écologistes, mais il leur arrive d'écouter des gens comme [nous][11] ». Polk a ainsi

10. Hansen, James (2009), *Storms of My Grandchildren. The Truth About the Coming Climate Catastrophe and Our Last Chance to Save Humanity*, Londres, Bloomsbury Press.

11. Rotella, Carlo (2011), « Can Jeremy Grantham profit from Ecological Mayhem? », *New York Times*, 11 août.

fait usage de son capital social et culturel afin de convertir ses semblables à sa nouvelle cause. Et quel meilleur endroit pour le faire que Londres ?

En 2007, Londres était un formidable réservoir de gens très fortunés auxquels prêcher la bonne parole climatique. Symbole de la financiarisation de l'économie et de la toute-puissance des gestionnaires d'actifs, la capitale britannique était un terrain de chasse prisé des entrepreneurs climatiques comme Polk. Selon l'écrivain et journaliste James Meek, le Royaume-Uni, aujourd'hui encore, c'est « 2 % de l'économie mondiale, moins de 1 % de la population mondiale, [mais] 18 % des passifs bancaires internationaux [c'est-à-dire l'ensemble des dettes légales dues par les clients des banques][12] ». Depuis les années 1980, les gouvernements successifs – conservateurs et travaillistes – n'ont eu de cesse de favoriser les détenteurs de capitaux : dérégulation des marchés financiers, faible taxation du capital, des plus-values et des transactions financières, et attitude laxiste vis-à-vis des nombreux paradis fiscaux dans les territoires d'outre-mer britanniques.

Dans ces conditions, et avec la mise en place au niveau européen du premier système d'échange international de quotas d'émissions de CO_2 en 2005, Londres s'est imposé rapidement comme le centre névralgique de la finance carbone[13]. Aux banques d'investissement ayant créé des unités spécialisées pour spéculer sur les marchés carbone, se sont ajoutées des dizaines de nouvelles boîtes spécialisées dans le conseil, le courtage et les services financiers, donnant naissance à un puissant secteur de financiers verts[14]. En 2008, Larry Lohmann en dénombrait pas loin de quatre-vingt,

---

12. Meek, James (2019), « The Two Jacobs. James Meek on Post-Brexit Britain », *London Review of Books*, 41(15).

13. Meckling, Jonas (2011), *Carbon Coalitions. Business, Climate Politics and the Rise of Emissions Trading*, Boston, MIT Press, p. 71.

14. Newell, Peter et Matthew Patterson (2010), *Climate Capitalism. Global Warming and the Transformation of the Global Economy*, Londres, Cambridge University Press, p. 75.

qui avaient en gestion 13 milliards de dollars d'actifs[15]. En s'installant à Londres, leur priorité était de s'approcher des riches investisseurs potentiels.

Le directeur d'un fonds d'investissement installé à Marylebone, dans l'ouest de Londres, se souvient ainsi comment, début 2004, sa société « était sans doute la première société financière privée [spécialisée dans la finance verte] au Royaume-Uni ». Six ans plus tard, poursuit-il, « il y en [avait] quatre ou cinq à cinq ou dix minutes à pied » de ses bureaux[16]. Au sud de Marylebone, le quartier de Mayfair, avec ses treize restaurants étoilés, ses boutiques de luxe et ses palaces, était également très prisé des acteurs de la finance carbone. C'est là qu'en 2004 s'est installé TCI, le « fonds activiste » du milliardaire philanthrope Christopher Hohn, aujourd'hui surnommé le « Greta [Thunberg] de l'investissement »[17]. TCI a la particularité de reverser un pourcentage fixe des commissions de gestion à la fondation de Hohn, le Children's Investment Fund Foundation (CIFF), très active dans le domaine climatique. À quelques rues de TCI se trouvaient les bureaux de Climate Change Capital (CCC), une société de conseil et d'investissement créée par des vétérans des négociations onusiennes, des promoteurs des marchés carbone[18] et des ex-banquiers d'affaires et gestionnaires de fonds d'investissement[19]. L'un de ses cofondateurs l'a clairement exprimé : « [Il fallait] faire en sorte d'être bien situé, même si on n'avait pas un rond et qu'on venait tout juste de se lancer[20]. »

---

15. Sindicatum Carbon Capital, NatSource Asset Management, New Carbon Finance, Trading Emissions plc, Pole Carbon Asset Management, Noble Carbon ICECAP, mentionnés dans Lohmann, Larry (2009), *When Markets are Poison. Learning about Climate Policy from the Financial Crisis*, Londres, The Corner House, p. 27.

16. Clark, Pilita (2011), « Pinstripe Greens », *Financial Times*, 4 novembre.

17. *L'Écho* (2019), « Christopher Hohn, le "Greta" de l'investissement », 8 décembre.

18. Parmi lesquels, Justin Mundy, Ken Newcombe, James Cameron.

19. Parmi lesquels, Mark Bell, David Tepper, Mark Woodall, Rupert Edwards.

20. James Cameron (2020), dans « Trade and Sustainability. The Radical in a Suit », ép. 23 de l'émission « Cleaning up with Michael Liebreich », 2020, YouTube : https://www.youtube.com/watch?v=qn7GKiW5E4k

Mayfair abritait également les premiers bureaux de Generation Investment Management (GIM), la très sélecte société de services financiers et de gestion d'investissements « durables » fondée en 2004 par le banquier d'affaires David Blood[21] et l'ex-vice-président américain Al Gore. Pour les individus fortunés qui souhaitent confier leur argent à GIM, il faut mettre au minimum 3 millions de dollars sur la table[22]. Avec des bureaux à Londres et San Francisco, GIM a agi comme un trait d'union entre la City et la Silicon Valley, entre les gestionnaires d'actifs en costards-cravates et les « tech entrepreneurs » en jeans-tee-shirts. Le portefeuille d'investissement de GIM est d'ailleurs composé de plusieurs grands noms de la tech, parmi lesquels Amazon, Microsoft, Alibaba et Google (Alphabet), présentés comme des modèles de vertu en matière de « capitalisme durable ».

Par-delà son statut de « héros du climat », Al Gore est un allié historique de la Silicon Valley. Dans les années 1980 et 1990, il faisait partie des « Atari Democrats », ce groupe d'élus persuadés que les industries high-tech formeraient le socle d'une « nouvelle économie », source de richesses et de prospérité pour les États-Unis, et d'hégémonie sur le plan international[23]. En tant que vice-président et jusqu'à sa défaite électorale de 2000, il n'a eu de cesse de vanter les mérites de l'innovation comme moteur de la croissance économique et du progrès social : « L'innovation, estimait-il lors d'un discours au siège de Microsoft en 1997, est en train de remodeler notre manière de réfléchir à l'économie. [...] Et créer les bonnes conditions pour que prospère l'innovation est l'obligation suprême des décideurs politiques[24]. » Peu de temps après son

21. Sa fortune personnelle était évaluée à 320 millions de Livres en 2018, 388e dans le classement des plus grandes fortunes britanniques.

22. Geier, Ben (2022), « Generation Investment Management Review », *Smartasset*, 30 juillet.

23. Marx, Paris (2022), *Road to Nowhere. What Silicon Valley Gets Wrong about the Future of Transportation*, Londres, Verso.

24. Gore, Al (1997), « Prepared Remarks of Vice President Al Gore », Microsoft CEO Summit, Seattle, WA, 8 mai.

retrait de la vie politique, et en sus de ses activités climatiques, cet ami de longue date de Steve Jobs, le fondateur d'Apple, fut nommé, avec pas mal de stock-options à la clé, conseiller spécial de Google (2001) et élu au conseil d'administration d'Apple (2002), où il siège encore aujourd'hui.

Dans ses interventions publiques, l'innovation et les nouvelles technologies sont présentées comme les principaux moteurs de la transition bas carbone. Dans *Une vérité qui dérange*, son célèbre documentaire financé par Jeff Skoll, le cofondateur d'Ebay, Gore endosse le costume de « VRP vert[25] », vantant les mérites des voitures hybrides, des panneaux solaires connectés, des autobus à batterie et autres réseaux électriques intelligents. Comme l'a écrit la chercheuse Kate Ervine, « mises bout à bout, les prescriptions de Gore en faveur de l'action ont pour but de renforcer la croyance [...] que la technoscience et le capitalisme peuvent et vont résoudre la crise climatique[26] ».

À bien des égards, *Une vérité qui dérange* est plus qu'un simple documentaire de vulgarisation destiné au grand public. En mettant l'accent sur les opportunités économiques ouvertes par la transition bas carbone, c'est aussi un documentaire programmatique destiné aux élites. De fait, plusieurs ultrariches l'ont évoqué comme un élément clé de leur conversion à la cause climatique, à commencer par Richard Branson, le fantasque fondateur de Virgin. Alors que Gore faisait la promotion de son film, Branson le convia à lui en présenter les arguments principaux : « Non seulement c'était l'une des meilleures présentations que j'aie jamais vues, mais c'était profondément dérangeant de prendre conscience qu'on était potentiellement face à la fin du monde tel qu'on le connaît[27]. »

---

25. Jamison, Andrew et Johan Sandström (2007), « Book Review: The Green Salesman. Reflections on the book and film, "An Inconvenient Truth" by Albert Gore Jr. », *International Journal of Innovation and Sustainable Development*, 2(1).

26. Ervine, Kate (2012), « The Politics and Practice of Carbon Offsetting. Silencing Dissent », *New Political Science*, 34(1).

27. Branson, Richard (2009), *Losing my Virginity. How I survived, and made a Fortune doing Business my Way*, Londres, Virgin Books.

Salut (et profits)

Gore n'était pas le seul à vouloir positionner la Silicon Valley et la tech au cœur de la transition bas carbone. Peu de temps après la sortie du documentaire de Gore, à Monterey en Californie, John Doerr, un ami à lui, a donné une présentation intitulée « Salut (et profits) dans la Greentech » lors de la conférence annuelle TED. Baptisé le « Davos des optimistes », TED – qui signifie « Technology, Entertainment, Design » – était la grand-messe du gotha de la Silicon Valley. Doerr, que le magazine d'affaires *Fast Company* a qualifié de « plus influent capital-risqueur de sa génération », s'est fait connaître en pariant très tôt sur plusieurs futurs géants de l'Internet comme Amazon et Google. Quelque temps avant la conférence TED, sa firme de capital-risque, Kleiner Perkins, s'était engagée à investir 100 millions de dollars dans les *cleantech*, ces technologies innovantes censées produire une « plus-value environnementale ». En se rendant à Monterey, Doerr souhaitait convaincre ses riches et influents amis de la Valley de faire de même.

Pour réussir son coup, il a combiné arguments moraux et économiques et évoqué sa propre conversion à la cause suite au visionnage du documentaire de Gore. Puis il a raconté comment, lors d'un échange avec sa fille, celle-ci a accusé sa génération, lui compris, d'être responsable du problème. La voix tremblant d'émotion – feinte ? –, il a alors mentionné ses propres doutes quant à notre capacité à éviter le pire : « J'ai très peur. Je crois qu'on ne va pas s'en sortir. » Malgré tout, agir pour le climat restait selon lui un impératif moral, tout en étant une formidable occasion d'enrichissement : « Les technologies vertes c'est plus grand qu'Internet. C'est potentiellement la plus grande opportunité économique du XXIe siècle[28]. »

---

28. Doerr, John (2007), « Salvation (and Profit) in Greentech », video TED, mars.

En 2007, cette « mentalité d'opportuniste[29] » était partagée par de nombreux entrepreneurs et investisseurs de la côte ouest américaine. Dès 2005, les gestionnaires de fonds privés et de *hedge funds* s'étaient rués vers l'or vert, convaincus qu'ils sauraient bouleverser le marché mondial de l'énergie, affranchir les États-Unis de leur dépendance aux énergies fossiles et, en même temps, faire beaucoup d'argent[30]. Selon le magazine *Wired*, leur ambition n'était rien de moins que de transformer la Silicon Valley « en Arabie saoudite de l'énergie propre[31] ». Plusieurs figures de la tech et de la finance se sont alors lancées dans l'aventure, créant des fonds d'investissement dédiés aux *cleantech* et autres produits et services « verts ». Ce fut le cas des gestionnaires de fonds spéculatifs Nat Simons et Tom Steyer, de l'homme d'affaires Reuben Munger, ou encore de Jeff Skoll, le fondateur d'Ebay. En plus d'être alimentés par leurs fondateurs, ces fonds spécialisés ont capté l'argent de leurs riches amis et connaissances souhaitant investir dans la transition bas carbone. Sur la vingtaine de clients du fonds d'investissement de Jeff Skoll, par exemple, huit étaient des individus très fortunés[32]. Conseillé par George Polk, déjà croisé quelques pages plus haut, le milliardaire américain George Soros est également entré dans la danse début 2009. Son but était d'accélérer le développement et la commercialisation de technologies bas carbone, parmi lesquelles la capture et la séquestration de carbone qui sont aujourd'hui au cœur des controverses autour de la géo-ingénierie[33].

---

29. Newell, Peter et Matthew Patterson (2010), *Climate Capitalism*, *op. cit.*, p. 75.

30. Luce, Alex, et Brian Steel (2015), « Cleantech Capital in California », dans Adam G. Bumpus, James Tansey, Blas L. Pérez Henríquez, et Chukwumerije Okereke (dir.), *Carbon Governance, Climate Change and Business Transformation*, Londres, Routledge, p. 188-205.

31. Eilperin, Juliet (2012), « Why the Clean Tech Boom went Burst », *Wired*, janvier.

32. Wallmine.com (2022), « What Kind of Clients Capricorn Investment Group serves? », page visitée en octobre 2022.

33. Mass High Tech Staff (2009), « CO_2 Capture Tech Firm Powerspan Lands $50M », *Boston Business Journal*, 23 avril.

Au sein de la Silicon Valley, les investissements ont bondi, passant de 34 millions à 290 millions de dollars entre le premier et le troisième trimestre 2006[34]. Au niveau national, la National Venture Capital Association estimait à 1,75 milliard de dollars le montant investi dans les *clean-tech* en 2006 ; en 2008, à la veille de la crise financière, ce chiffre atteignait 4,1 milliards[35]. Sans minimiser le rôle de Doerr, Gore et autres « oracles verts », ces chiffres reflètent une conjoncture internationale et nationale alors particulièrement favorable. La crise énergétique, avec un baril de pétrole au plus haut, avait replacé les technologies bas carbone – énergies renouvelables, économies d'énergie – au centre du jeu. L'administration Bush et la majorité démocrate au Congrès ont adopté une série de mesures en faveur des technologies vertes, parmi lesquelles la mise en place d'un système de prêts garantis (4 milliards de dollars) et de crédits d'impôts (2,1 milliards), ainsi que le lancement d'une nouvelle agence d'aide à la recherche, le Advanced Research Projects Agency Energy (ARPA-E) – inspirée de l'ARPA, qui finança les premières recherches sur Internet[36]. Ces mesures incitatives fédérales ont été complétées par d'autres séries de mesures au niveau des États, notamment en Californie, historiquement en pointe en matière environnementale. En 2006, l'État – alors gouverné par le républicain Arnold Schwarzenegger – a voté le *Global Warming Solutions Act*, une loi qui fixait des objectifs de réductions d'émissions ambitieux à horizon 2050 : une baisse de 80 % par rapport aux niveaux de 1990.

Pour peser sur les politiques publiques et orienter les choix politiques, les riches investisseurs se sont regroupés

---

34. Flynn, Laurie J. (2007), « Silicon Valley rebounds, led by Green Technology », *The New York Times,* 29 janvier.

35. Eilperin, Juliet (2012), « Why the Clean Tech Boom went Bust », *loc. cit.*

36. Giorgis, Vincent, Tobias A. Huber et Didier Sornette (2022), « "Salvation and Profit". Deconstructing the Clean-Tech Bubble », *Technology Analysis & Strategic Management.*

et organisés au sein de réseaux plus ou moins formels. Au sein du Greentech Innovation Network, Doerr et plusieurs autres investisseurs et experts en énergie se sont ainsi activement mobilisés en faveur du *Global Warming Solutions Act*[37]. Comme l'a admis Gore, lui-même membre du Network, « John Doerr est certainement le principal artisan de cette loi[38] ». Le Greentech Innovation Network sera suivi d'autres initiatives similaires. En 2011, par exemple, un consortium de onze familles américaines dont la fortune cumulée avoisine les 30 milliards de dollars a créé le Cleantech Syndicate. Comme l'explique un de ses gestionnaires d'investissement, les riches familles qui y participent « sont soit des investisseurs actifs dans les *cleantech* ou [des personnes qui ont] fait fortune dans les énergies non renouvelables et qui cherchent une couverture naturelle à leurs investissements actuels dans le pétrole et le gaz, voire une rédemption morale[39] ». On peut aussi citer le CREO Network, fondé la même année, qui réunit plusieurs riches investisseurs et gestionnaires de fortune et a pour objectif « d'aider ces investisseurs à partager leurs expériences, discuter d'intérêts communs et explorer les possibilités d'investissements » dans les domaines de l'environnement et de la durabilité[40]. En pratique, le CREO agit comme un intermédiaire et un négociateur, « associant des investisseurs très fortunés avec des entreprises et technologies à la pointe en matière de réduction et d'élimination d'émissions[41] ». À l'image des dîners et soirées de George Polk à

---

37. Richtel, Matt (2007), « Tech Barons take on New Project: Energy Policy », *The New York Times*, 29 janvier.

38. Greenwald, Ted (2007), « Gore, Joy See Green Economy Powered by Silicon Valley », *Wired*, 12 novembre.

39. Millburn, Robert (2014), « Invest like a Billionaire », *Barron's Penta*, 11 novembre.

40. Cleantech, Renewable Energy and Environmental Opportunities (CREO) (2014), « About », page datée du 21 novembre 2014, consultée *via* le Internet Archive : https://web.archive.org/web/20141121202052/http://www.creo-network.org/about

41. Lauer, Alex (2020), « CREO Syndicate is a Climate Investment Club for "the Richest of the Rich" », *Inside Hook*, 16 novembre.

Londres, ou de la conférence TED à laquelle participa John Doerr, ces clubs de riches ont favorisé la circulation d'idées, le développement d'une compréhension commune de l'enjeu climatique et de la meilleure manière d'y répondre, et plus largement d'un entre-soi climatique.

Orienter le débat

La capacité de Doerr, Gore, Polk et les autres à capitaliser sur la transition bas carbone dépendait de la mise en place d'un cadre de gouvernance et de politiques climatiques adaptés à leurs intérêts de classe. Il fallait donc intervenir dans l'espace public afin de crédibiliser et d'imposer leurs préférences en termes de choix technologiques, de mécanismes et d'arrangements institutionnels – marchés carbone, objectifs non contraignants – et de politiques publiques – crédits d'impôts, prêts garantis, partenariats public-privé –, et par la même occasion décrédibiliser celles de leurs adversaires (tant l'industrie fossile que les partisans d'un service public de l'énergie, les climatosceptiques que les écologistes décroissants…). Leur but était notamment de transférer aux États – et donc à la collectivité – les risques associés à leurs investissements dans la transition bas carbone, et ainsi de participer à l'avènement d'un « État vert dérisqueur », pour reprendre la terminologie développée par l'économiste Daniela Gabor. Soit un État « qui "accompagne", […] à travers des nouvelles techniques de réduction des risques, l'investissement du capital financier dans des actifs "verts"[42] ». Il s'agissait, pour faire court, de fusionner le « consensus de la Silicon Valley[43] » – l'idée que l'innovation et les entrepreneurs visionnaires vont redynamiser l'ensemble de l'économie – avec le « consensus de Wall

42. Cos, Rafaël, Sarah Kolopp, Ulrike Lepont, Caroline Vincensini (2022), « D'une crise à l'autre. Les nouvelles interdépendances entre l'État et la finance globale. Entretien croisé avec Daniela Gabor, Frédéric Lebaron, Wolfgang Streeck », *Critique Internationale*, n° 94, p. 171-193.

43. Durand, Cédric (2020), *Technoféodalisme. Critique de l'économie numérique*, Paris, La Découverte/Zones.

Street[44] » – l'idée que c'est à l'État de prendre en charge les risques associés aux investissements privés.

Pour les élites climatiques, la crise financière de 2007-2008 et les négociations d'un nouvel accord international sur le climat (en vue de la COP15 en 2009) ont été l'occasion d'élargir un peu plus leur base de soutien parmi les élites économiques. Provoquée par un système bancaire à la recherche de profits toujours plus élevés, la crise financière a fortement écorné l'image du secteur financier, et donc de ses principaux protagonistes et bénéficiaires. Elle a par ailleurs entraîné avec elle l'éclatement de la « bulle *cleantech* ». Entre 2008 et 2009, les investissements en capital-risque dans le secteur se sont effondrés et sont passés de 4,1 milliards à 2,5 milliards de dollars. La crise a ainsi mis en exergue l'extrême vulnérabilité des secteurs de la tech et de la finance, ainsi que leur dépendance à l'égard des États. Face à cela, les négociations climatiques onusiennes représentaient une occasion de réhabiliter la finance et les *cleantech* en les positionnant au cœur de la transition bas carbone. Le protocole de Kyoto avait ouvert la voie aux mécanismes de marché et à la finance climat. Avec l'accord de Copenhague, il fallait désormais transformer l'essai en les étendant à de nouvelles catégories d'actifs (notamment les forêts et les espaces naturels), et en favorisant le déploiement massif d'initiatives privées fondées sur l'autorégulation et les engagements « volontaires ».

Avec la COP15 en ligne de mire, plusieurs acteurs des élites climatiques ont créé des réseaux, des organisations et des initiatives dédiés au suivi et à l'orientation du processus de négociations internationales. Fin 2006, par exemple, et avec l'appui financier de Doerr et Kleiner Perkins, Al Gore a lancé son Alliance for Climate Protection, une campagne de « persuasion massive[45] » visant à « inciter les individus,

---

44. Gabor, Daniela (2021), « The Wall Street Consensus », *Development and Change*, 52(3), p. 429-459.

45. N/A (2006), « Private Investors, Gore Creates New Pressure for Climate Change Action », SustainableBusiness.com, décembre.

les familles, les communautés, les États, les entreprises et autres organisations » à faire des efforts en matière de réduction d'émissions[46]. Peu de temps avant la COP15, et alors qu'il venait de s'engager à investir massivement dans les technologies bas carbone, George Soros a lancé le Climate Policy Initiative (CPI), un *think-tank* dirigé par Thomas Heller, un avocat et universitaire américain, contributeur au GIEC[47], pour peser sur les négociations en cours, en particulier dans le domaine de la finance[48]. Quelques mois auparavant, le milliardaire anglais et fondateur de Virgin, Richard Branson (avec l'aide de George Polk et de consultants de chez McKinsey), avait créé le Carbon War Room pour influencer le « récit » autour de la transition bas carbone. L'enjeu était, comme le raconte l'éco-entrepreneur Jigar Shah, d'imposer l'idée, auprès du grand public et des décideurs politiques, que la transition bas carbone était « la plus grande opportunité de création de richesse que nous pourrions rencontrer dans notre vie[49] ».

Nouvel esprit vert du capitalisme

Pour peser sur le processus de négociations onusiennes, il fallait impérativement produire et imposer dans le débat public un nouveau discours légitimant axé sur l'idée que le capitalisme – et donc les capitalistes – pouvait être « verdi » et devenir un moteur de la transition bas carbone. Ce discours, Jesse Goldstein l'a qualifié, dans *Planetary Improvement*, sa fascinante enquête sur les *cleantech* aux États-Unis, de « nouvel

46. The Alliance for Climate Protection (2007), « About the Alliance », page datée du 3 juillet 2007 consultée *via* le Internet Archive : https://web.archive.org/web/20070703212352/http://www.climateprotect.org/about

47. Comme nous le verrons dans le chapitre 3, Thomas Heller fera partie avec George Polk des coordinateurs de Project Catalyst.

48. Talanoa, Simione (2009), « Soros funds £1 Billion in Climate Initiative », *Climate Action*, 13 octobre.

49. Jigar Shah (2020), interviewé dans « Creating Climate Wealth », ép. 9 de « Cleaning up with Michael Liebreich », YouTube : https://www.cleaningup.live/episode-9-jigar-shah.

esprit vert du capitalisme[50] ». Il consiste à « mobiliser une critique en apparence radicale, antisystémique, du capitalisme [tout en offrant] une légitimité morale et une force affective aux propositions qui visent à transformer de manière irrévocable le capitalisme en une économie plus vertueuse du point de vue environnemental ». « C'est toujours le capitalisme, ajoute Goldstein, mais dans une version améliorée, plus verte[51]. »

« Capitalisme Gaia[52] », « capitalisme durable[53] », « capitalisme naturel[54] », ou encore « capitalisme vert », les adjectifs ne manquent pas pour caractériser ce capitalisme réformé. À chaque fois, il s'agit, comme l'explique John Bellamy Foster, « de reconnaître que la crise environnementale est intimement liée à l'existence du capitalisme, et en même temps d'appeler à un capitalisme d'un genre nouveau[55] ». La priorité est toujours de « réformer les marchés » afin « qu'ils répondent aux besoins réels » des populations et de la planète[56]. Il s'agit notamment, comme l'écrivent Paul Hawken, Amory Lovins et Hunter Lovins dans leur ouvrage *Natural Capitalism* (1999), de « valoriser » correctement le capital naturel, c'est-à-dire les ressources naturelles et les systèmes écologiques « qui rendent la vie possible et désirable sur cette planète » (voir le chapitre 2). Cela suppose d'adopter une vision et une stratégie d'investissement « à long terme » qui tiennent compte des critères « ESG » (« Économique, Social, de Gouvernance[57] ») sans pour autant transiger avec

50. Goldstein, Jesse (2018), *Planetary Improvement: Cleantech Entrepreneurship and the Contradictions of Green Capitalism*, Boston, MIT Press.

51. *Ibid.*

52. Richard Branson (2010), *Screw it, Let's Do it. Lessons in Life and Business*, Londres, Virgin Books.

53. Gore, Al et David Blood (2011), « A Manifesto for Sustainable Capitalism », *Wall Street Journal*, 14 décembre.

54. Hawken, Paul, Amory Lovins et Hunter Lovins (1999), *Natural Capitalism*, Boston, Little, Brown & Company.

55. Bellamy Foster, John (2011), « Capitalism and the Accumulation of Catastrophe », *Monthly Review*, décembre.

56. Gore, Al et David Blood (2011), « A Manifesto for Sustainable Capitalism », *loc. cit.*

57. *Ibid.*

les impératifs d'accumulation et de croissance ni remettre en cause les rapports sociaux de domination existants. Comme le résume David Blood, il s'agit tout simplement de « plaider pour la cupidité à long terme[58] ».

Tout en appelant à une réforme du capitalisme, ce nouvel « esprit vert » glorifie l'« expérience de la Silicon Valley » en poussant l'idée que le progrès technologique et l'innovation entraînent un processus schumpétérien de destruction créatrice qui profitera, *in fine*, à l'économie et au climat[59]. Il s'agit, en somme, d'une version actualisée et verte de l'« idéologie californienne », ce « mélange de cybernétique, de libéralisme économique et de libertarianisme contre-culturel » né de « la fusion étrange entre le bohémianisme [*bohemianism*] culturel de San Francisco et les industries hi-tech de la Silicon Valley[60] ». Le nouvel esprit vert du capitalisme s'inspire et prolonge les idées de l'« écologie contreculturelle[61] » ; une écologie qui concilie progrès technologique et écologie et, ce faisant, favorise certaines « technologies appropriées » – panneaux solaires, éoliennes, économies d'énergie, réseaux et autres « disruptions non disruptives[62] » – supposément en phase avec les désirs de liberté et d'autonomie vis-à-vis de l'État bureaucratique et centralisateur associés à la contre-culture[63].

Enfin, en mettant l'accent sur la liberté, l'innovation et l'individu comme vecteurs de progrès social et environnemental, ce discours contribue un peu plus à positionner la figure de l'« entrepreneur innovant », à la fois « carriériste et héroïque », au cœur de nos imaginaires sociaux et

58. Fallows, James (2015), « The Planet-Saving, Capitalism-Subverting, Surprisingly Lucrative Investment Secrets of Al Gore », *The Atlantic*, novembre.

59. Durand, Cédric (2020), *Technoféodalisme*, *op. cit.*

60. Barbrook, Richard et Andy Cameron (1996), « The Californian Ideology », *Science as Culture*, 6(1), p. 44-72.

61. Kirk, Andrew (2011), « Appropriating Technology. The Whole Earth Catalog and counterculture environmental politics », *Environmental History*, 6(3), p. 374-394.

62. Goldstein, Jesse (2018), *Planetary Improvement*, *op. cit.*

63. Kirk, Andrew (2001), « Appropriating Technology », *loc. cit.*

économiques[64]. En d'autres termes, le nouvel esprit vert du capitalisme participe à un effort plus large de construction et de mise en scène des élites économiques éclairées et entreprenantes comme « sauveuses » du climat et « leaders » de la transition bas carbone (voir chapitre 4). La mise en scène d'Al Gore dans *Une vérité qui dérange* est particulièrement révélatrice de cela. En entrecoupant son discours de références à son enfance dans le Tennessee, à ses études supérieures à Harvard, à la mort de sa sœur d'un cancer et à sa défaite lors de l'élection présidentielle de 2000, il y est présenté « en éco-héro, en figure mythique dont la biographie plus grande que nature et l'engagement déterminé le rendent légitime, digne de foi et, *in fine*, la marque la plus reconnue du débat climatique[65] ».

L'arme philanthropique

La philanthropie a joué un rôle central dans la diffusion et la normalisation du nouvel « esprit vert » et des options politiques et institutionnelles qui lui sont associées[66]. Au début des années 2000, et des deux côtés de l'Atlantique, plusieurs milliardaires issus du boom technologique et de la financiarisation de l'économie se sont lancés dans la philanthropie ou ont réorienté leurs activités philanthropiques existantes vers le climat. Sans surprise, c'est dans la région de San Francisco (où se situe la Silicon Valley) que l'on trouve certaines des fondations les plus prolifiques sur le climat, à commencer par Hewlett et Packard, toutes deux créées dans les années 1960. Parmi les fondations plus récentes engagées sur le climat, on peut citer Sea Change, Gordon & Betty

---

64. Szeman, Imre (2015), « Entrepreneurship as the New Common Sens », *South Atlantic Quarterly*, 114(3), p. 471-490.

65. Rutherford, Stephanie (2011), *Governing the Wild. Ecotours of Power*, Minneapolis, University of Minnesota Press, p. 156.

66. Morena, Édouard (2018), *Le Coût de l'action climatique. Fondations philanthropiques et débat international sur le climat*, Vulaines-sur-Seine, La Dispute.

Moore et Skoll, créées respectivement par le capital-risqueur Nat Simons, le cofondateur d'Intel et l'ancien PDG d'Ebay.[67]

Au-delà de leur concentration géographique et de leur création relativement récente, ces fondations se caractérisent par leur proximité et leur haut degré d'alignement stratégique. À l'image des clubs d'investisseurs comme CREO ou le Cleantech Syndicate (dont sont membres plusieurs philanthropes du climat), elles se regroupent au sein de plateformes et réseaux spécialisés, tels que la Climate Funders Table, un réseau informel de philanthropes ayant pour but d'identifier les priorités, de partager des informations et de développer des projets communs[68]. À la veille de la COP15, elles se sont associées afin de créer et financer des nouvelles fondations spécialisées sur le climat et ainsi canaliser les fonds vers des bénéficiaires et des projets en phase avec leur approche de l'enjeu, tout en accroissant leur impact. Au niveau européen, George Polk et une poignée de milliardaires philanthropes ont créé la Fondation européenne pour le climat (ECF) fin 2007. Son but : « Promouvoir des politiques climatiques et énergétiques qui réduisent les émissions de gaz à effet de serre de l'Europe et aider l'Europe à jouer un rôle de leadership international en matière d'atténuation du changement climatique[69]. » Par « politiques climatiques et énergétiques », il faut entendre « politiques incitatives (et peu contraignantes) favorables aux entreprises et aux investisseurs ».

Compte tenu de leur très forte homogénéité, il n'est pas étonnant que la plupart – sinon la totalité – des grandes fondations climatiques partagent une même approche de l'activité

67. Morena, Édouard (2018), « L'odeur de l'argent. Les fondations philanthropiques dans le débat climatique international », *Revue Internationale et Stratégique*, 109, p. 115-123.

68. Morena, Édouard (2018), « Les philanthropes aiment-ils la planète ? Capitalisme, changement climatique et philanthropie », *La Vie des idées*, 11 décembre.

69. European Climate Foundation (2008), « About Us », page datée du 8 juin 2008 consultée *via* le Internet Archive : https://web.archive.org/web/20080608171317/http://www.europeanclimate.org/index.php?option=com_content&task=view&id=14&Itemid=29.

philanthropique ; une approche « stratégique, « guidée par les données » et « axée sur l'impact ». Plutôt que de financements, elles se sont mises à parler d'« investissements », censés produire un « retour social » mesurable. L'adoption des pratiques et du vocabulaire managériaux à tous les niveaux de l'activité philanthropique, « des premières idées aux évaluations finales », a participé un peu plus à normaliser la culture entrepreneuriale au sein du débat climatique, et par là même à légitimer les entrepreneurs.

Légitimer les « entrepreneurs-à-succès-devenus-philanthropes »

La mise en scène était parfaite. Jeff Bezos, fondateur d'Amazon et quatrième fortune mondiale (150 milliards de dollars en septembre 2022), debout sur l'estrade lors de la COP26 à Glasgow pour parler du climat, a ainsi pris la parole : « On m'avait dit que regarder la Terre depuis l'espace changeait votre vision du monde. [...] Je ne m'étais pas préparé au fait que cela soit si vrai. [...] l'atmosphère a l'air si fine, le monde si fini et si fragile. » Il aura donc fallu à Bezos un voyage dans l'espace à bord de sa fusée Blue Origin pour prendre (enfin) conscience du problème. Il aura également fallu qu'il crée une nouvelle fondation dédiée au climat et à la biodiversité, le Bezos Earth Fund, et qu'il s'engage à lui verser 10 milliards de dollars, pour qu'il soit invité en grande pompe à une conférence internationale onusienne. Ce qu'illustre cette séquence, c'est à quel point la philanthropie climatique est devenue l'instrument ultime de légitimation des ultra-riches. En s'attaquant à un enjeu aussi urgent et englobant que le climat, les milliardaires philanthropes relèguent les autres enjeux qui les concernent au rang de distraction. L'exploitation des salariés d'Amazon, le super-yacht de 127 mètres de long, les voyages de quatre minutes dans l'espace à 5,5 milliards de dollars[70]...

70. Haegele, Bob (2021), « Jeff Bezos' $5.5 billion Space Flight and More Billionaire Spending in 2021 », Yahoo!Finance, 7 décembre.

tout ça n'a plus trop d'importance. Ce qui compte, c'est que Bezos soit « du bon côté de l'histoire ». L'enjeu climatique, compte tenu de son ampleur et de son urgence, passe avant le reste. Et Bezos et les autres milliardaires philanthropes l'ont parfaitement compris.

Au-delà de leur fonction de soutien à des acteurs et des politiques prétendument « verts », les fondations actives sur le climat ont pour but de légitimer les ultra-riches et leurs modes de vie à forte intensité de carbone. Compte tenu de leur expérience et de leur réussite professionnelle, de leur extraordinaire « sens des affaires, [leur] ambition et [leur] mentalité "stratégique"[71] », les « entrepreneurs à succès devenus philanthropes » sont présentés comme étant les mieux placés pour relever le défi environnemental[72].

En insistant sur les qualités individuelles hors du commun de leurs fondateurs, les fondations brouillent la frontière entre altruisme et intérêt personnel. « Non seulement il n'est plus nécessaire de "déguiser" ou de minimiser l'intérêt personnel, mais l'intérêt personnel [*self-interest*] est présenté comme la meilleure raison de venir en aide aux autres. Il est considéré non pas comme coexistant en tension avec l'altruisme, mais comme sa condition préalable[73]. » Cela est clairement perceptible dans l'explication donnée par le nouveau directeur du Bezos Earth Fund sur les raisons qui l'ont amené à rejoindre la fondation : « Quand une personne fortunée choisit de mettre 10 milliards de dollars de son propre argent à dépenser dans cette décennie décisive, et quand cette même personne a démontré qu'elle pouvait faire croître une entreprise et qu'elle s'y connaissait en matière de management, de prise

71. Jenkins, Garry W. (2011), « Who's Afraid of Philanthrocapitalism? », *Case Western Reserve Law Review*, 61(3), p. 4.

72. Morvaridi, Berhooz (dir.) (2015), *New Philanthropy and Social Justice. Debating the Conceptual and Policy Discourse*, Bristol, Bristol University Press ; Guilhot, Nicolas (2006), *Financiers, philanthropes. Sociologie de Wall Street*, Paris, Seuil.

73. McGoey, Lindsey (2015), *No Such Thing as a Free Gift. The Gates Foundation and the Price of Philanthropy*, Londres, Verso, p. 20.

de décision, [et] de conduite du changement, vous savez qu'il se passe quelque chose de sérieux.[74] »

Au lieu d'être un problème, le mélange des genres entre activités philanthropiques et intérêts de classe se mue en qualité et en atout. Cela devient une preuve supplémentaire de leur engagement indéfectible envers la cause climatique. Au final, cette philanthropie égocentrique « ne met pas seulement en scène la fusion politique et culturelle du capitalisme et de l'environnement sous le nom de capitalisme vert [mais] participe également à l'accroissement des fondements économiques du pouvoir bourgeois en faisant de l'entrepreneur une figure centrale de la politique climatique[75] ».

Bloomberg à l'Élysée

Dans son livre intitulé *The Many Lives of Michael Bloomberg*, la journaliste Eleanor Randolph relate un épisode particulièrement révélateur de la mainmise des élites économiques sur le débat climatique. Quelques heures à peine après la décision de Donald Trump de sortir les États-Unis de l'accord de Paris (2 juin 2017), Kevin Sheekey, un conseiller du milliardaire philanthrope Michael Bloomberg, a riposté en organisant un point presse à l'Élysée en présence d'Emmanuel Macron et Anne Hidalgo. C'est ainsi qu'à peine vingt-deux heures après l'annonce de Trump, Bloomberg lui-même était accueilli par un président et la maire d'une capitale[76], lui permettant de se hisser, durant quelques minutes, au rang de quasi-chef d'État et de représentant des entreprises, des États et des citoyens opposés à la décision de Trump. Bloomberg déclara alors : « La réalité, c'est que les Américains n'ont pas besoin

74. Steer, Andrew (2021), « A fund for the Earth with Andrew Steer », podcast *Outrage and Optimism*, saison 3, épisode 16, diffuse le 12 mai 2021.

75. Prudham, Scott (2009), « Pimping Climate Change: Richard Branson, Global Warming, and the Performance of Green Capitalism », *Environment and Planning A: Economy and Space*, 41/7, p. 1596.

76. Randolph, Eleanor (2019), *The Many Lives of Michael Bloomberg*, Londres, Simon & Schuster.

de Washington pour remplir nos engagements dans le cadre de [l'accord de] Paris. [...] Donc, aujourd'hui, je veux que le monde entier sache que les États-Unis respecteront leur engagement. [...] Et grâce au partenariat entre les villes, les États et les entreprises, nous mettrons tout en œuvre pour continuer à faire partie du processus de l'accord de Paris. »

Ce point presse improvisé est le résultat d'années d'efforts, initiés au tournant du XXIe siècle, visant à bâtir une conscience climatique de classe et à imposer une approche particulière de la transition bas carbone. Nous l'avons vu, cette approche combine la promotion des intérêts de classe des élites économiques – en particulier celles issues de la tech et de la finance – et la mise en scène de ces mêmes élites comme « héros du climat ». Le peu de réactions suscitées par le point presse de Bloomberg à l'Élysée ou le discours de Bezos à la COP26 montre à quel point leur présence au cœur du débat climatique s'est normalisée. Ils font, en quelque sorte, partie du décor. Et il en va de même des solutions qu'ils proposent.

Pour arriver à cela, les élites climatiques ont dû procéder par étapes. Dans un premier temps, et cela fera l'objet du prochain chapitre, priorité fut donnée à la valorisation du carbone et plus largement à la monétisation de la nature. Au niveau international, cela passait par l'extension des instruments de marché et leur positionnement au cœur des négociations climatiques onusiennes. Comme nous le verrons, le carbone, en tant que nouvelle « classe d'actifs », est devenu une source d'opportunités pour les gestionnaires d'actifs et leurs riches clientèles. Investir dans les forêts et autres puits naturels de carbone permet de concilier recherche de profits et lutte contre le réchauffement climatique. Du moins en théorie. Car si les profits sont au rendez-vous, les réductions d'émissions, elles, se font encore attendre.

2

Poumons de la Terre et pompes à fric

Après deux heures de route depuis Glasgow à longer des lochs majestueux (Lomond, Long) et des monts escarpés, couverts çà et là de conifères, on arrive à Kilfinan, sur la commune de Tighnabruaich, petit village pittoresque niché sur la péninsule de Cowal, face à l'île de Bute. C'est là, en pleine COP26, que Calum MacLeod, directeur de l'association Community Land Scotland, retrouve des militants et représentants indigènes de la Global Alliance of Territorial Communities, une coalition de communautés indigènes et locales du Bassin amazonien, du Brésil, de l'Indonésie et de la Méso-Amérique. La rencontre est organisée par la Kilfinan Community Forest Company (KCFC), une organisation caritative fondée en 2007 qui gère durablement, en lien avec la communauté locale, la forêt d'Acharossan, une ancienne forêt commerciale d'épicéa de 500 hectares. L'objectif de cette rencontre est de partager les expériences de luttes communautaires locales centrées sur la défense des forêts et des populations qui en dépendent.

Les réalités et expériences des habitants de Kilfinan sont *a priori* bien éloignées de celles des communautés indigènes des forêts tropicales. Pourtant, les activistes rassemblés ici sont convaincus du contraire. En Écosse comme en Amazonie, des communautés locales et groupes d'activistes se mobilisent autour des mêmes enjeux : protéger les droits fonciers communautaires face à la marchandisation des terres ; marchandisation impulsée et justifiée par la double dynamique du néolibéralisme et de l'urgence climatique[1]. Comme le résume Levi Sucre, du peuple Bribri du Costa Rica, en s'adressant à ses hôtes écossais, « notre terre est la même que la vôtre[2] ». Aux XVIIIe et XIXe siècles, alors que l'accaparement des terres et la sujétion des peuples autochtones allaient bon train dans les colonies, l'Écosse a fait face à un processus sans précédent de privatisation et de concentration des terres, ce qu'on a appelé les *Highland Clearances*. Celles-ci ont littéralement vidé les campagnes écossaises de leurs populations, laissant place à de gigantesques propriétés foncières destinées à l'élevage et à la chasse. Le gibier et les moutons ont remplacé les hommes. Dans de nombreux cas, les terres ont été rachetées par d'anciens propriétaires de plantations coloniales avec l'argent versé par le gouvernement en guise de compensation suite à l'abolition de l'esclavage en 1833[3].

L'ère des *lairds* verts

Depuis quelques années, on assiste à un *Highland Clearance* d'un nouveau genre où ni les hommes ni les moutons ne sont les bienvenus ; un *Clearance* justifié par la protection de l'environnement et la lutte contre le dérèglement climatique. Une nouvelle génération de « *lairds* verts » s'arroge des pans entiers des Highlands et des autres régions rurales écossaises : aujourd'hui, 67 % des terres rurales écossaises appartiennent à 0,025 % de la population[4]. Et la tendance n'est pas près de s'inverser. Qui sont ces *lairds* verts ? Ce sont, comme l'explique MacLeod, « des millionnaires et milliardaires résolus

1. MacLeod, Calum (2021), « Community Land Rights at the Heart of Global Struggle for Climate Justice », extrait du blog Beyond the Horizon, Commentary and Sustainability Policy Analysis, 11 novembre.

2. *La Libre* (2021), « COP26 : en Écosse, des chefs autochtones viennent partager leur "rêve d'unité" », 7 novembre.

3. MacLeod, Calum (2021), « Community Land Rights at the Heart of Global Struggle for Climate Justice », *loc. cit.*

4. *La Libre* (2021), « COP26 : en Écosse, des chefs autochtones viennent partager leur "rêve d'unité" », *loc. cit.*

à imposer leur [...] “vision” de ce à quoi doivent ressembler les Highlands, ou des multinationales et, de plus en plus, des institutions comme les universités, en quête d’opportunités pour compenser leurs émissions de carbone et dorer leur blason écologique ». S’y ajoutent « les gros investisseurs privés qui cherchent à générer des bénéfices financiers »[5].

Parmi eux, on trouve Camille et Christopher Bently, un couple de multimillionnaires californiens. Christopher est le fondateur de Bently Holdings, une société d’investissement immobilier. Il est aussi membre du conseil d’administration du célèbre festival post-hippie Burning Man[6]. En 2020, le couple a racheté le Kildrummy Estate, une propriété d’environ 2 300 hectares incluant « des landes destinées à la chasse à la grouse, une ferme éolienne de 18 MW et deux demeures historiques[7] », avec comme objectif de convertir la propriété en « semi *wilderness* ». Un autre de ces *lairds* s’appelle Christoph Henkel, un milliardaire allemand héritier de l’entreprise de produits chimiques Henkel. En 2020, Henkel s’est offert le Kilchoan Estate, un domaine de 5 200 hectares qu’il souhaite réensauvager et convertir en destination écotouristique de luxe. Mais le champion toutes catégories est Anders Holch Povlsen, milliardaire danois qui, avec sa douzaine de propriétés s’étalant sur plus de 89 000 hectares, est le plus gros propriétaire terrien privé d’Écosse[8].

Lorsqu’ils expliquent leur conversion à la cause climatique, les « *lairds* verts », qu’ils vivent en Écosse ou ailleurs, aiment à raconter des anecdotes personnelles. Johan Eliasch, multimillionnaire anglo-suédois propriétaire de 400 000 hectares de forêt amazonienne (qu’il a achetés pour la bagatelle de 14 millions de dollars), se rappelle ainsi comment, en grandis-

5. MacLeod, Calum (2021), « Community Land Rights at the Heart of Global Struggle for Climate Justice », *loc. cit.*

6. Crunchbase (2022), « Christopher Bently », site visité en octobre 2022.

7. Burns, Hamish (2020), « Arts-Loving American Couple buy £11 Million Aberdeenshire Estate », *Insider*, 11 juin.

8. Marshall, Andrew R.C. (2022), « Who Owns Scotland ? The Rise of the Green Lairds », *Reuters*, 27 janvier.

sant à Stockholm, il pouvait skier dans la ville d'octobre à avril, alors que ce n'est désormais plus possible. C'est cela, nous explique-t-il, qui l'a amené à s'intéresser au climat[9]. Pour Kirsty Bertarelli, ex-Miss Royaume-Uni et épouse de Ernesto Bertarelli, milliardaire suisse tirant sa fortune (estimée à 11,5 milliards de livres) de l'industrie pharmaceutique, le déclic s'est produit lors d'une plongée au milieu des poissons, des coraux et des requins-marteaux dans la mer de Cortez au Mexique. Dix ans plus tard, lors de son retour sur place, tout avait disparu. « C'est là, nous raconte-t-elle, que j'ai pris conscience que je devais faire quelque chose. » Elle oublie en revanche de préciser si son expédition a eu lieu à bord du *Vava II*, son super-yacht de 96 mètres de long équipé d'une aire d'atterrissage pour hélicoptère et d'une piscine – autrement dit, un super-pollueur des mers[10].

Le « réensauvagement » occupe une place importante dans leurs projets d'achat. Povlsen, par exemple, se fixe pour objectif « de rendre les Highlands à leur précédent et magnifique état naturel et de réparer le mal que l'homme leur a infligé[11] ». Povlsen et les autres s'inscrivent ainsi dans la droite ligne des riches conservationnistes américains et européens de la fin du XIXe et du début du XXe siècle. À la différence près que la valeur de leurs propriétés ne se réduit pas à leur richesse en termes de biodiversité ou de faune sauvage. Pour ces *lairds* verts, l'achat et le « réensauvagement » de terres c'est aussi du bon sens économique. Des terres « réensauvagées », ce sont des terres qui séquestrent plus de carbone et qui, à l'ère du « net zéro »[12] et de la compen-

9. Money-Coutts, Sophia (2018), « How a Gang of Global Billionaires are helping Save the World », *Tatler*, 14 février.

10. Superyatch Fan – Superyatch & Owners (2022), « Inside *VAVA II* Yacht – Devonport – 2012 – Propriétaire Ernesto Bertarelli », site visité en octobre 2022.

11. Holch Polvsen, Anne et Anders (2021), « Mission and Vision », *Wildland*, 2021, site visité en octobre 2022.

12. Le terme « net zéro » (ou « neutralité carbone ») signifie que l'entreprise ou l'entité concernée peut continuer à émettre à condition de compenser ses émissions en absorbant une quantité équivalente de CO_2 présent dans l'atmosphère.

sation carbone[13], augmentent donc en valeur. Elles constituent d'immenses réserves de crédits carbone, c'est-à-dire des unités équivalentes à une tonne de CO_2 évitée ou séquestrée et pouvant être vendues sur les marchés à des entreprises ou des particuliers (souvent du Nord) qui, au lieu de réduire leurs émissions, préfèrent les compenser. Les forêts et tourbières d'Écosse valent désormais plus que les moutons[14]. À la privatisation et la conservation s'ajoutent ainsi la valorisation économique des forêts et autres puits naturels de carbone, mais aussi la valorisation économique de terres peu ou non exploitées.

À l'ère du dérèglement climatique, la terre est un investissement sûr, plutôt bon marché et qui peut rapporter gros. Pour les gestionnaires de fortune et leurs riches clients, l'achat de terres est un excellent moyen de diversifier et de faire fructifier leurs portefeuilles d'actifs. Dès le lendemain de la crise financière de 2007-2008, les ultra-riches l'avaient parfaitement compris et s'étaient précipités sur elles. La crise climatique n'a fait qu'accentuer ce phénomène, surtout si l'on tient compte des risques réels de dépréciation d'actifs plus conventionnels (sites industriels, projets immobiliers en milieux urbains, infrastructures…) qu'elle induit. La terre devient une valeur refuge. Lorsqu'ils ne misent pas sur le renchérissement du prix du carbone, les riches et leurs conseils parient sur l'insécurité alimentaire et l'augmentation de la demande de denrées agricoles. C'est notamment le cas de Bill Gates qui, en 2018, est devenu le plus grand propriétaire privé de terres agricoles des États-Unis avec plus de 100 000 hectares[15].

---

13. Mécanisme par lequel une entreprise ou un individu contrebalance ses propres émissions de CO_2 en finançant des projets de réduction d'émissions ou de séquestration de carbone ailleurs.

14. Gewin, Virginia (2020), « How Peat Could Protect the Planet », *Nature*, 12 février.

15. Evans, Judith (2021), « Bill Gates' Farmland buying Spree highlights Investment Appeal », *Financial Times*, 29 mars.

Le stade Nouvelle-Zélande du capitalisme vert

L'achat de terres ou de forêts c'est aussi un formidable outil de greenwashing pour les ultra-riches. Alors que de plus en plus de personnes s'offusquent des inégalités croissantes entre riches et pauvres, l'achat de terres permet de verdir son image tout en profitant, seuls ou entre *happy few*, de paysages à couper le souffle. Quand on le questionne sur le fait qu'il se déplace en jet privé, Johan Eliasch peut tranquillement rétorquer : « Je fais ce que je veux car j'ai une forêt tropicale. [...] Je suis sans doute l'individu le plus *carbon negative* du monde[16]. » Alors qu'au début du siècle dernier, les Carnegie, Rockefeller et autres Ford se payaient une acceptabilité sociale en finançant des bibliothèques, des universités, des hôpitaux ou des musées, les barons voleurs verts du XXIe siècle joignent le rentable à l'agréable. Ils ne se contentent plus de donner leur argent mais l'investissent dans des projets doublement rentables pour eux – financièrement et symboliquement – et supposément bons pour la planète.

Le problème, ce n'est donc pas eux. Au contraire, ils font partie de la solution. Le problème, ce sont les autres, et surtout les plus pauvres. Si les ressources naturelles se font rares, ce n'est pas dû à leur accaparement par une poignée de privilégiés, mais à cause d'une croissance démographique incontrôlée dans les pays du Sud. Le néomalthusianisme a bonne presse chez les *lairds* verts. Leur discours sur le « réensauvagement » s'accompagne souvent d'un discours sur la surpopulation. Ce sont les humains, sans distinction, qui sont responsables de la destruction de la nature, et vu que les pauvres sont majoritaires... Lisbet Rausing, héritière de la fortune Tetra Pak et propriétaire d'un domaine de 13 000 hectares en Écosse, se demande ainsi « comment on va réussir à nourrir l'humanité tout en sauvant le climat ». Eliasch, quant à lui, estime que « la Planète n'est pas faite

16. Money-Coutts, Sophia (2018), « How a Gang of Billionaires are Helping Save the World », *loc. Cit.*

pour accueillir 10 milliards de personnes[17] ». Un autre milliardaire actif dans le débat climatique (notamment par le biais de sa fondation), Jeremy Grantham, s'inquiète régulièrement de la surpopulation et de notre incapacité à produire assez pour nourrir la population mondiale. Pour ce philanthrope du climat et homme d'affaires qui a bâti sa fortune dans la finance, la prochaine crise ne sera ni immobilière ni financière, mais humaine[18] La « bombe P[19] » a bon dos chez les ultra-riches.

Quelle meilleure façon de s'en prémunir que d'investir directement ou par le biais de gestionnaires d'actifs dans des terres ? Certains, à l'image des « preppers », ne s'embêtent plus à faire semblant d'agir pour la planète. L'achat de terres isolées en Nouvelle-Zélande ou en Patagonie c'est, au côté de l'abri nucléaire de luxe et du super-yacht autonome, un excellent point de chute en cas de pandémie, d'effondrement politique, social et/ou environnemental[20]. La terre est à la fois valeur refuge *et* « simple » refuge. Peter Thiel, milliardaire capital-risqueur et fondateur de PayPal, l'a très bien compris. En 2015, Thiel s'est offert une ancienne ferme d'élevage de 193 hectares au bord du lac Wanaka, sur l'île sud de la Nouvelle-Zélande, pour la modique somme de 9,8 millions d'euros[21]. Il a pour projet d'y ériger un « gîte » de luxe équipé « de pièces d'eau et d'un espace de méditation » et pouvant accueillir vingt-quatre invités[22]. En cas de besoin, Thiel et

---

17. *Ibid.*

18. Steverman, Ben (2019), « Investing Prophet Jeremy Grantham Takes Aim at Climate Change », *Bloomberg Europe Edition*, 17 janvier.

19. Titre de l'ouvrage écrit par Paul Ehrlich, professeur à Stanford University, et publié à la fin des années 1960. Il y prédit qu'une famine massive aurait lieu à cause de la croissance incontrôlée de la population mondiale.

20. O'Connell, Mark (2018), « Why Silicon Valley Billionaires are prepping for the Apocalypse in New Zealand », *The Guardian*, 15 février.

21. Kimmorley, Sarah (2018), « Billionaire Peter Thiel is Building a Panic Room into his House in New Zealand – and it Could Be Part of a New Doomsday Trend », *Business Insider Australia*, 9 février.

22. O'Connell, Mark (2018), « Why Silicon Valley Billionaires are Prepping for the Apocalypse in New Zealand », *loc. cit.*

ses amis pourront s'y réfugier et y contempler les décors naturels majestueux ayant servi de toile de fond au film de Peter Jackson, *Le Seigneur des anneaux*.

Les entrepreneurs du climat entrent en scène

Les ultra-riches ne sont pas les seuls à « valoriser » les forêts et autres espaces naturels qu'ils contrôlent. Plusieurs entrepreneurs du climat se sont également engouffrés dans la brèche. C'est par exemple le cas de Jeremy Leggett, ancien chargé de campagne chez Greenpeace[23] et fondateur en 1998 de Solarcentury, producteur d'énergie solaire. En 2020, il a vendu sa société et s'est offert le Bunloit Estate en Écosse dans l'unique but d'y combiner activités de sylviculture, tourisme durable, et surtout recherches innovantes sur la compensation carbone. Son objectif est clair : « Générer un profit durable en faisant une action qui ait du sens[24]. » Les profits réalisés seront ensuite réinvestis dans l'achat de nouvelles propriétés pour y répliquer son modèle[25].

Lors de la COP26 à Glasgow, la compensation carbone était sur toutes les lèvres. Aujourd'hui, plus de 1 500 grandes entreprises et environ deux tiers des gouvernements se sont engagés à atteindre la « neutralité carbone ». Des compagnies aériennes aux multinationales pétrolières en passant par les GAFAM, tout le monde s'y met. La compagnie italienne de pétrole et de gaz Eni s'est ainsi engagée à financer 8,1 millions d'hectares de plantations en Afrique pour atteindre son objectif de « neutralité carbone » d'ici à 2030[26]. De tels engagements sont autant d'opportunités

---

23. Jeremy Leggett était présent à la soirée A Date With the Planet organisé par George Polk. Voir chapitre 1.

24. Marshall, Andrew R.C. (2022), « Who owns Scotland ? », *loc. cit.*

25. Cockburn, Harry, (2020) « Climate Crisis. Green Entrepreneur buys 500-hectare Estate at Loch Ness for Rewilding Project », *The Independent*, 6 juillet.

26. Lang, Chris (2022), « Big Polluters, Carbon Offsetting, and REDD », *REDD Monitor*, 26 avril.

économiques à saisir pour un large éventail d'intermédiaires et de prestataires de services. Cela va des certificateurs aux monteurs de projets, en passant par des lobbyistes et intermédiaires en tout genre. On trouve même plusieurs grandes ONG vertes qui se sont lancées dans la vente de crédits carbone à partir de forêts qu'elles détiennent ou qu'elles gèrent pour le compte d'États ou de grands propriétaires fonciers. Pour compenser ses émissions et s'assurer – de gré ou de force – que les populations locales ne défrichent pas les forêts tropicales péruviennes, Disney, par exemple, a engagé l'ONG Conservation International[27]. Propriétaire ou « protecteur » d'environ 20 millions d'hectares, une autre grande ONG américaine, The Nature Conservancy (TNC) – dont le budget annuel avoisine le milliard de dollars –, produit des crédits carbone qu'elle revend ensuite à Disney, le gestionnaire d'actifs BlackRock, ou encore la banque JPMorgan[28].

TNC et Conservation International renouvellent des stratégies déjà anciennes de « mise en parc de la nature » à des fins non seulement de conservation mais d'exploitation commerciale[29]. Plutôt que de passer par des ONG, certaines entreprises privées compensent leurs émissions en achetant et en gérant directement des terres. C'est le cas du brasseur Brewdog ou de la compagnie d'assurances Aviva. Comme pour les ultra-riches, c'est du gagnant-gagnant : en « compensant » leurs propres émissions, elles verdissent leur image tout en continuant à émettre à moindre coût.

La marchandisation du carbone contenu dans les forêts et autres espaces naturels favorise un rapprochement *a priori*

27. Mider, Zachary, et John Quigley (2020), « Disney's Jungle Cruise. High-Emission Vacations lead to Trouble in a Rainforest Far, Far Away », *Bloomberg Europe Edition*, 9 juin.

28. Elgin, Ben (2020), « These Trees are not What They Seem. How the Nature Conservancy, the World's Biggest Environmental Group, Became a Dealer of Meaningless Carbon Offsets », *Bloomberg Europe Edition*, 9 décembre.

29. Blanc, Guillaume (2020), *L'Invention du colonialisme vert. Pour en finir avec le mythe de l'Éden africain*, Paris, Flammarion.

contre nature entre chantres de la conservation et entrepreneurs du climat, entre grands propriétaires terriens et acteurs de la finance verte, entre anciens et nouveaux riches, entre forestiers, consultants et prestataires de services en tout genre. Ce rapprochement était restreint tant que les forêts et autres puits naturels de carbone étaient exclus des mécanismes de marché existants et que la compensation carbone n'était pas répandue. Désormais, avec la normalisation du « net zéro » et des marchés carbone volontaires, le grand rapprochement peut avoir lieu.

Qui a fait sauter le verrou ? Et comment ? Pour comprendre le processus d'accaparement et de marchandisation des forêts et autres espaces naturels sous couvert de lutte contre le dérèglement climatique et au profit des plus riches, il faut se replonger quelques années en arrière. Ce sont les forêts – et en particulier les forêts tropicales – qui ont servi de cheval de Troie pour le développement du marché des services écosystémiques et des crédits carbone liés à la conservation. Un groupe relativement restreint d'individus y a vu une opportunité et a su la saisir. Jusque-là, les mécanismes de marché en place dans le cadre des mécanismes de flexibilité du Protocole de Kyoto étaient plutôt restrictifs. Seuls les projets d'afforestation[30] et de (re)forestation étaient éligibles, et ce, sous des conditions très restrictives. Les projets de « déforestation évitée » étaient exclus du mécanisme.

Avec la COP15 (2009) en ligne de mire, une coalition hétéroclite d'intérêts s'est mise en branle pour tout changer. Les forêts tropicales ont fait converger de multiples intérêts et tracé une voie nouvelle qui n'impliquait aucune remise en question du capitalisme vert – et a même étendu un peu plus son emprise. Pour les acteurs de la conservation et dans un contexte plus large marqué par la montée en puissance de l'enjeu climatique, l'assignation d'un prix au carbone contenu dans les forêts a été perçue comme un moyen efficace et économiquement avantageux de combattre la déforestation.

30. Plantation d'arbres sur un terrain nu resté longtemps déboisé ou n'ayant jamais été boisé.

Pour les acteurs de la gouvernance climatique, c'était la possibilité de bâtir une nouvelle architecture globale et de trouver une issue face aux réticences des États-Unis à ratifier un accord global. En intégrant les forêts tropicales existantes aux mécanismes de marché et surtout en tenant compte de la « déforestation évitée », les pays forestiers du Sud – et surtout leurs élites politiques et économiques –, qui, dans le cadre du Protocole de Kyoto, n'avaient aucune obligation en termes de réduction d'émissions, allaient être rémunérés pour protéger leurs forêts, contribuant ainsi à l'effort global. Du côté des gros pollueurs, l'intégration des forêts sur pied ouvrait des opportunités nouvelles permettant de compenser leurs émissions à moindre coût. Enfin, pour les ultra-riches et les gestionnaires d'actifs les conseillant, c'était une nouvelle source de profits, surtout lorsqu'ils étaient déjà propriétaires de forêts et/ou de puits naturels de carbone.

Les forêts au menu de la COP13

Remontons encore un peu plus dans le temps. Décembre 2007, la dernière séance plénière de la COP13 à Bali. La salle de conférences était pleine à craquer et la tension palpable. Comme à chaque COP, tout s'est accéléré au cours des dernières heures. Le secrétariat de la convention, les délégués (représentant cent quatre-vingts pays), les observateurs et les journalistes étaient épuisés et avaient les nerfs à vif. Il ne restait plus qu'à valider le document de négociation, le Plan d'action de Bali (*Bali Roadmap*), censé ouvrir la voie à un nouvel accord global à Copenhague en 2009. La négociatrice américaine a pris la parole et exprimé son désaccord avec des passages du texte rédigés par des pays en développement. Stupeur générale dans la salle. Tout était bloqué. Puis ce fut au tour de la Papouasie-Nouvelle-Guinée de prendre la parole. Kevin Conrad, son délégué, s'est approché du micro et, en deux minutes, il s'est livré à une attaque en règle des États-Unis, les accusant de bloquer le processus : « Si [vous] n'êtes pas prêts à prendre le *leadership*, écartez-vous du chemin ! » Tonnerre d'applaudissements et d'acclamations de la salle. Quelques minutes plus tard, nouvelle prise de parole de la négociatrice américaine qui, finalement, retirait son opposition au texte. En l'espace de quelques minutes, la Papouasie-Nouvelle-Guinée, et surtout son jeune et fringant négociateur à l'allure et à l'accent américains, sont devenus les porte-parole des opprimés du Sud face à l'ogre américain et son président va-t-en-guerre et climatosceptique.

Pour Conrad, la priorité était moins de s'illustrer comme nouvelle égérie du climat que de sauver le texte de négociations, et surtout un paragraphe, communément appelé « paragraphe REDD ». Celui-ci ouvrait la voie à l'inclusion des forêts tropicales dans les mécanismes de financement prévus par un futur accord international. Dans le texte, le mécanisme REDD (pour Réduction des émissions provenant du déforestation et de la dégradation des forêts) est expressément mentionné comme un élément du Plan d'action de Bali, contribuant ainsi à mettre les émissions de gaz à effet de serre liées à la déforestation et à la dégradation des sols au cœur du débat climatique international.

L'inclusion de la REDD dans le Plan d'action de Bali est l'aboutissement de deux années de dur labeur de la part de Conrad et d'autres acteurs de la Coalition for Rainforest Nations (CfRN), une coalition de pays tropicaux créée et dirigée par Conrad et Geoffrey Heal, un professeur de l'Université Columbia à New York. La petite histoire voudrait que Conrad ait eu l'idée de la REDD un jour de printemps 2003, lors d'une discussion sur la plage de Wewak, en Papouasie, avec Michael Somare, le père de l'indépendance du pays et ancien Premier ministre. Cette année-là, la Banque mondiale avait proposé un prêt de 17 millions de dollars à la Papouasie contre la fermeture de son industrie d'exploitation forestière. Pour Conrad, qui conseillait Somare à l'époque, le principe de transfert d'argent contre la protection des forêts tropicales était bon mais le montant insuffisant. Ce que proposait la Banque mondiale était nettement inférieur aux 50 millions de dollars de royalties versés annuellement par l'industrie forestière. Dès lors, comment mieux valoriser les 370 000 km^2 de forêts primaires du pays ?

La réponse, Conrad l'a formulée en 2005 alors qu'il faisait un Master of Business Administration (MBA) à Columbia. Dans le cadre de son mémoire, et avec l'aide de Heal, il a développé une idée simple : les entreprises et les gouvernements des pays riches doivent payer les propriétaires et les habitants de forêts dans les pays en développement pour qu'ils protègent ces dernières et évitent ainsi d'émettre des gaz à effet de serre. Les rétributions pourront prendre soit la forme de paiements directs, soit celle de crédits carbone que les pays forestiers pourront, par exemple, revendre à des entreprises souhaitant compenser leurs émissions. Dès le début, la REDD a été présentée comme un mécanisme de commerce de carbone. Dans une tribune publiée dans le *Financial Times* juste avant la COP11 (2005), Conrad et Heal appelaient d'ailleurs à une révision des règles autour des marchés carbone pour qu'elles « rendent les crédits carbone liés à une réduction de la déforestation échangeables sur les marchés carbone au même titre que les autres *offsets*[31] ».

C'est, en apparence du moins, du gagnant-gagnant. Les pays forestiers tropicaux valorisent leurs forêts et contribuent à l'effort global d'atténuation du changement climatique ; les pays riches compensent leurs émissions et participent à la lutte contre la déforestation. Très vite, plusieurs pays développés ont apporté leur soutien à l'initiative REDD. Ce fut notamment le cas de la Norvège où l'industrie fossile – dont l'État est le principal actionnaire – constitue environ 40 % des exportations et 14 % du PIB. En 2007, le pays s'est engagé à réduire ses émissions de 30 % à l'horizon 2020 par rapport au niveau de 1990. Les compensations représentaient 10 % des réductions et le mécanisme REDD constituait à l'évidence un moyen d'atteindre cet objectif. Lors de la COP de 2007 à Bali, la Norvège s'est engagée à verser 3 milliards

31. Heal, Geoffrey et Kevin Conrad (2005), « A Solution to Climate Change in the World's Rainforests », *Financial Times*, 29 novembre.

de couronnes (soit environ 300 millions de USD) par an à la promotion du mécanisme REDD et à sa mise en œuvre dans plusieurs pays tropicaux dont le Brésil, le Guyana et l'Indonésie. Le gouvernement norvégien fit notamment appel à la société de conseil en stratégie McKinsey pour l'assister dans son travail.

La REDD, c'est la promesse de lutter contre le changement climatique et, simultanément, d'établir, et c'est une première, un mécanisme global fondé sur les résultats de financement de projets de conservation des forêts. Comme l'explique la spécialiste des forêts au World Resources Institute, Frances Seymour : « L'aspect fondamental et unique qui distingue la REDD de décennies de financements accordés par les bailleurs de fonds pour les forêts, c'est que c'est un système de rémunération au rendement : vous recevez l'argent contre des résultats, et le montant proposé est suffisamment important pour que ça soit intéressant pour vous[32]. » En plus de la Papouasie-Nouvelle-Guinée, les élites politiques et économiques des pays forestiers vont rapidement comprendre l'intérêt de ce mécanisme et s'engager en faveur de son inclusion dans un futur accord climatique. C'est le cas du Brésil, de l'Indonésie, du Guyana et du Costa Rica.

Costa Rica : une affaire de famille

Le Costa Rica s'est engagé dans le CfRN à ses débuts. La participation de ce minuscule pays d'Amérique centrale a revêtu une importance symbolique et stratégique particulière pour Conrad et Heal. Compte tenu de sa bonne réputation en termes de conservation des forêts et de son engagement de longue date en faveur des paiements pour services écosystémiques et des mécanismes de marché – notamment l'inclusion des forêts dans le Mécanisme de développement

32. Clouse, Carol J. (2020), « The U.N.'s Grand Plan to save Forests hasn't worked, but some still believe it can », *Mongabay Series: Global Forests*, 14 juillet.

propre (MDP)[33] –, le Costa Rica a fortement crédibilisé le CfRN aux yeux des bailleurs de fonds du Nord, et notamment les États-Unis, un allié historique du pays.

Comme l'écrit Larry Lohmann : « Le Costa Rica a toujours été un des pays d'Amérique latine les plus désireux d'accueillir des projets carbone forestiers et autres systèmes de marché pour "services environnementaux"[34]. » Dès 1996, les dirigeants politiques avaient mis en place un système de paiement pour services écosystémiques dans l'espoir qu'il serait un jour financé à travers un système international d'échange de crédits carbone dans le cadre du Protocole de Kyoto. Au cours des années 1990, le Costa Rica fut l'un des premiers pays au monde à développer un marché de compensation volontaire en vendant des crédits carbone à des entreprises et aux gouvernements norvégien et américain[35]. À cette époque, le président du Costa Rica était José Maria Figueres Olsen (1994-1998), futur directeur général du Forum économique mondial (2000-2004) et futur président du Carbon War Room, ONG en faveur de l'action climatique créée par le milliardaire britannique et fondateur de Virgin Richard Branson en 2010. Figueres Olsen est le fils de José Figueres Ferrer, « Don Pepe », le père fondateur de la Seconde République costaricaine et deux fois président. Sa mère, la Dano-Américaine Karen Olsen, était associée au *conservation cartel*, un petit groupe de personnalités publiques et scientifiques costaricaines et étrangères (notamment nord-américaines) à l'origine des parcs naturels du pays. Ils ont aussi participé à l'effort de *nation branding* visant à faire

33. Mise en œuvre dans le cadre du protocole de Kyoto, le Mécanisme de développement propre (MDP) est un mécanisme de financement de projets de réduction d'émissions de gaz à effet de serre selon le principe de la compensation carbone. Il permet aux entreprises implantées dans des pays dits du Nord de compenser leurs émissions en investissant dans des projets de réduction d'émissions dans les pays dits du Sud.

34. Lohmann, Larry (2006), « Carbon Trading. A Critical Conversation on Climate Change, Privatisation and Power », *Development dialogue*, n° 48, The Dag Hammarskjöld Centre, septembre.

35. *Ibid.*

de ce pays très dépendant économiquement du tourisme un exemple sur le plan de la protection de l'environnement[36].

La sœur de José Maria n'est autre que Christiana Figueres, directrice exécutive de la CCNUCC (Convention-cadre des Nations unies sur les changements climatiques) entre 2010 et 2016, et désormais « leader d'opinion » climatique (comme nous le verrons dans le chapitre 4). Éduquée, comme son frère, aux États-Unis, Christiana a commencé sa carrière à l'ambassade du Costa Rica à Bonn, en Allemagne. Après un passage comme directrice de cabinet au ministère de l'Agriculture, elle s'est installée à Washington où, de 1993 à 1994, elle a brièvement travaillé pour une société de relations publiques, le Hawthorn Group, qui a conseillé José Maria sur sa campagne électorale. John Ashford, le directeur du Hawthorn Group à l'époque, se fera surtout connaître comme l'inventeur du concept de *clean coal* (charbon propre) pour le compte de l'industrie du charbon états-unienne.

En 1994, Christiana Figueres a fondé, avec Anne Hambleton, le Center for Sustainable Development in the Americas (CSDA), une ONG spécialisée dans « l'identification et le développement d'instruments financiers en soutien à un développement durable du point de vue environnemental[37] ». Dans les faits, le CSDA agit comme un intermédiaire entre, d'un côté, plusieurs gouvernements latino-américains, et, de l'autre, divers acteurs publics et privés. Tous partagent un même intérêt dans le développement de mécanismes de marché. Figueres et son équipe travaillaient à la fois au développement de nouveaux instruments et cadres réglementaires en lien avec la compensation, et en particulier le Mécanisme de développement propre (MDP), un des deux mécanismes de compensation inclus

36. Gutierrez, Maria (2007), « All that is Air Turns Solid. The Creation of a Market for Sinks under the Kyoto Protocol on Climate Change », Graduate Center, City University of New York, p. 289.

37. Center for Sustainable Development in the Americas (CSDA) (2000), « What can CSDA do for you? », page internet consultée *via* le Internet Archive.

dans le cadre du Protocole de Kyoto, et à l'identification, au montage et à l'accompagnement de projets. En bref, et à l'image de nombreux autres entrepreneurs climatiques, Figueres et Hambleton ont façonné les règles censées garantir la crédibilité des projets portés par… le CSDA[38].

Parallèlement à ses activités au CSDA, Christiana Figueres représentait le Costa Rica dans le cadre des négociations climatiques internationales. Elle faisait d'ailleurs partie de l'équipe de négociateurs costaricains lors de la COP3 à Kyoto. En 2007, et au moment des débats sur la REDD, elle siégeait au conseil exécutif du MDP en tant que représentante de l'Amérique latine et des Caraïbes. En plus de ses activités de promotion de mécanismes de marché dans le cadre de la CCNUCC, Figueres a participé au développement du très contesté marché des compensations volontaires, notamment en tant qu'administratrice de Winrock International, ONG de développement qui promeut activement les solutions de marché, et comme conseillère à CQuest Capital, société de courtage spécialisée dans la compensation carbone fondée par Ken Newcombe, figure historique de la finance carbone.

Aux yeux de Figueres et des autres chantres des solutions de marché, la REDD c'est du gagnant-gagnant… du moins en théorie, car il est très difficile de démontrer l'additionnalité des projets, c'est-à-dire le fait que les projets REDD aient réellement des effets positifs, comme une baisse des émissions – liées, par exemple, à la gestion durable des forêts ou l'afforestation –, ou évitent des émissions supplémentaires. Garantir l'additionnalité est particulièrement difficile en ce qui concerne les forêts et autres puits naturels de carbone. Comment en effet être sûr que telle ou telle parcelle allait vraiment être coupée ou défrichée si le mécanisme REDD n'avait pas été mis en place ? Quel est le niveau de référence à partir duquel on évalue le potentiel de tel ou tel projet ? À cela s'ajoute toute une série de questions liées au financement du mécanisme

38. *Ibid.*

REDD, à sa gouvernance, aux régimes fonciers et aux droits des populations tributaires de la forêt, ainsi qu'à des enjeux purement techniques, notamment en matière de surveillance et de vérification des évolutions du couvert forestier.

Rien d'insurmontable, selon Conrad et ses amis. Les problèmes, nous expliquent-ils, ne sont pas structurels mais essentiellement techniques et opérationnels. Les résultats pour le moins mitigés sont liés à des défaillances en termes de conception et de gouvernance. En plus, qui dit nouveaux problèmes à résoudre dit nouvelles opportunités économiques pour les innombrables prestataires et conseillers en tout genre qui, à l'image de Figueres et Conrad, gagnent leur vie grâce aux marchés carbone.

Je pompe donc je suis

Le mécanisme REDD, c'est comme la cosmopompe des Shadoks. On pompe le matin, on pompe l'après-midi, on pompe le soir. Et quand on ne pompe pas, on rêve qu'on pompe. On a beau reconnaître sa complexité, voire douter de son efficacité, les opportunités économiques à court terme sont trop belles. Pourquoi faire simple quand on peut faire compliqué ? Surtout quand on est rémunéré pour le faire. Pour les Shadoks des marchés carbone, pomper devient une fin en soi, quitte à faire passer le climat au second plan. Du propre aveu de Marc Stuart, directeur et fondateur de EcoSecurities, société basée à Genève spécialisée dans le développement de projets et le commerce de crédits carbone, « REDD est l'entreprise la plus complexe du *carbon game*. Elle comporte des incertitudes scientifiques, des défis techniques, des classes d'actifs non contiguës… Il y a un énorme risque de manigance et d'erreur, ce qui signifie que les escrocs vont devenir incroyablement riches alors que les émissions, elles, ne baisseront pas[39] ». Et pourtant, le même Marc Stuart est un chaud partisan de la REDD, surtout

39. Lohmann, Larry (2009), « Regulation as Corruption in the Carbon Offset Markets », dans Steffen Böhm et Siddhartha Dabhi (dir.), *Upsetting the Offset*, Londres, Mayfly Books, p. 175-191.

si ça implique la production et le commerce de nouveaux crédits[40]. Son amour du dispositif n'a rien de surprenant si l'on tient compte du fait qu'il a bâti sa fortune grâce aux marchés carbone, notamment en vendant EcoSecurities à JPMorgan en 2009 pour 204 millions de dollars[41]. Pour Stuart et tant d'autres, la transformation des forêts en réserves de crédits carbone, c'est d'abord et avant tout un business juteux.

Conrad, Heal et les autres ont bâti une usine à gaz... dont ils sont les principaux bénéficiaires. Car qui dit commerce du carbone forestier dit recours à des services extérieurs en tout genre. De l'identification de la parcelle à la certification des crédits, en passant par la mesure du carbone, le montage du projet, le courtage, la négociation des contrats et le monitoring, le mécanisme REDD est une poule aux œufs d'or pour de nombreux prestataires et intermédiaires. Qui plus est, moins ça marche, et plus on fait appel à eux pour colmater les brèches et garantir l'« intégrité » du système. On l'a déjà vu avec le MDP. La poignée de « Designated Operational Entities (DOE) » ou « validateurs » accrédités étaient, pour la plupart, des grandes entreprises de gestion de risques mandatées par le MDP pour évaluer et certifier les projets de réduction et d'élimination d'émissions. Parmi elles, on trouve des filiales de Ernst & Young, PWC, KPMG ou Deloitte.[42] Comme l'écrit Cabello, il s'agit d'un système de quasi-oligopole, qui démultiplie le risque de collusion entre prestataires de services et commanditaires ; un risque que le MDP a lui-même reconnu[43].

---

40. Lang, Chris (2009), « Carbon Cowboys », *New Internationalist*, 2 septembre.

41. Szabo, Michael et Paul Sandle (2009), « JPMorgan to buy EcoSecurities for $204 million », *Reuters*, 15 septembre.

42. Executive Board of the Clean Development Mechanism (CDM) (2022), « List of Designated Operating Entities (DOEs) », Convention Cadre des Nations Unies sur le Changement Climatique (CCNUCC), site visité en octobre 2022.

43. Cabello, Joanna (2009), « The Politics of the Clean Development Mechanism. Hiding Capitalism under the Green Rug » dans Steffen Böhm et Siddhartha Dabhi (dir.), *Upsetting the Offset*, *op. cit.*, p. 195.

Carbon cowboys

Il n'y a pas un profil-type d'entrepreneur climatique REDD. C'est un mélange de vétérans des marchés carbone et de la conservation et de nouveaux venus à la recherche de projets rentables, sans oublier les carriéristes avides de pouvoir. Néanmoins, la proportion d'hommes blancs du Nord récemment convertis à la cause climatique est particulièrement élevée, y compris parmi les gouvernements du Sud. C'est notamment le cas de Kevin Conrad. Bien qu'il ait passé plusieurs années en Papouasie (où ses parents étaient missionnaires), il est né et a fait ses études aux États-Unis, avant d'enchaîner les postes dans le privé[44]. Conrad est un homme d'affaires avant d'être un activiste du climat. Un autre Kevin, Kevin Hogan, présente un profil comparable. Entre 2002 et 2009, Hogan, citoyen britannique, conseillait Bharrat Jagdeo, le président du Guyana, sur les forêts et le dossier REDD. Avant cela, il avait passé dix ans dans la société de conseil Accenture à Londres. Steven Grin, également conseiller de Jagdeo, travaillait quant à lui pour une société d'investissement privée, Capstone Equities. En 2013, il a quitté son poste au Guyana pour rejoindre Emergo Partners, une société de capital-risque.

Aux conseillers et représentants des gouvernements du Sud s'ajoutent les *carbon cowboys*, ces missionnaires blancs d'un nouveau genre qui parcourent les forêts tropicales en quête de profits en lien avec la REDD. Anticipant la validation du mécanisme lors de la COP de Copenhague, l'Australien Kirk Roberts a passé en 2009 plusieurs accords avec des chefs communautaires de Papouasie-Nouvelle-Guinée, où environ 97 % des terres relèvent du mode de propriété foncière coutumier. Dans un reportage édifiant diffusé sur *Al Jazeera* en 2009, on le voit, collier de fleurs au cou, débarquer dans une communauté forestière à bord d'une chaise à porteurs.

---

44. Lang, Chris (2017), « REDDheads. How Kevin Conrad took REDD from New York to the UNFCCC », REDD Monitor, 8 février.

Face aux membres de la communauté rassemblés pour l'occasion, cet ancien organisateur de combats de coqs déroule les promesses : argent, routes, hôpitaux... Tout est bon pour gagner la confiance des populations et signer de nouveaux contrats. Et Kirk Roberts est loin d'être le seul. Au Pérou, par exemple, son compatriote David Nilsson a passé plusieurs accords similaires avec le gouvernement provincial de Loreto et les dirigeants de la communauté indigène Matses[45].

À ces nouveaux arrivants, il faut ajouter les vétérans des marchés carbone et de la marchandisation de la nature. Ils se sont regroupés au sein d'initiatives et de plateformes internationales qui visent à produire une culture commune de l'enjeu climatique et des meilleures façons d'y répondre, tout en irriguant les différentes arènes et organisations qui composent l'espace climatique international. C'est le cas du Katoomba Group. Fondée en 1999, cette plateforme regroupe plusieurs dizaines d'experts et représentants d'entreprises forestières et financières, de *think-tanks*, d'agences gouvernementales et intergouvernementales et d'ONG qui partagent une même volonté de développer et promouvoir la conservation des forêts grâce aux mécanismes de marché[46]. Le secrétariat du Katoomba Group est assuré par Forest Trends, une ONG dirigée par Michael Jenkins, ancien conseiller forêts auprès de la Banque mondiale[47]. Son conseil d'administration rassemble des représentants d'entreprises[48], d'ONG et *think-tanks*[49], et de la Banque mondiale.

Parmi les participants au Katoomba Group, on trouve Ken Newcombe, dont le plus grand fait d'armes est d'avoir

45. Jacobs, Ryan (2013), « The Forest Mafia. How Scammers steal Millions through Carbon Markets », *The Atlantic*, 11 octobre.

46. Forest Trends (2001), « The Katoomba Group », site consulté *via* le Internet Archive.

47. *Ibid.*

48. Mitsubishi, ABNAmro, Sveaskog ou Generation Investment Management, la société d'investissement fondée par Al Gore.

49. WWF, World Resources Institute, Greenpeace Russie, The Nature Conservancy, Rainforest Action Network.

développé, dans les années 1990 et alors qu'il travaillait pour la Banque mondiale, le Fonds prototype pour le carbone (FPC), le premier système d'achat de réductions d'émissions au monde[50]. Comme il aime à le raconter, « c'était comme faire l'amour à l'époque du choléra. À la fois incroyablement excitant et super dangereux ». Ce fils d'agriculteurs ayant grandi dans le bush australien a quitté la Banque mondiale en 2005 pour rejoindre Climate Change Capital (voir chapitre 1). En 2007, il a pris la tête du bureau climat de Goldman Sachs et, fort de ces expériences successives, a créé sa propre société, C-Quest Capital, en 2008[51]. C-Quest Capital s'occupe du développement, dans les pays du Sud, de projets créateurs de compensations carbone pour le compte d'investisseurs privés[52].

Les riches s'y mettent

Alors que, comme nous l'avons vu, le mécanisme REDD avait initialement été envisagé comme un moyen pour les pays du Nord – et notamment leurs entreprises les plus polluantes – de compenser leurs émissions en finançant la préservation des forêts tropicales du Sud, il suscita également l'intérêt de riches individus en quête de nouvelles opportunités d'investissement. C'est notamment du côté des grands propriétaires fonciers britanniques que le mécanisme a suscité un réel engouement. Par-delà leur penchant conservationniste, ils ont très tôt compris que la valorisation des forêts tropicales entraînerait inévitablement la valorisation du carbone contenu dans leurs propres propriétés.

---

50. Zwick, Steve (2019), « How Developing Countries put Forests on the Climate Agenda », *GreenBiz*, 2 octobre.

51. Lang, Chris (2010), « Forests, Carbon Markets and Hot Air. Why the Carbon Stored in Forests should not be traded », REDD Monitor, 11 janvier.

52. C Quest Capital (2022), « C-Quest Capital Closes Second Investments from Macquarie and Shell to Scale Sub-Saharan Africa Clean Cooking Program », 25 mars, Post LinkedIn.

En 1999, Eric Bettelheim[53], un riche avocat d'affaires américain de la City, passionné de chasse[54] et proche de l'aristocratie terrienne britannique, s'est associé à Richard Sandor, fondateur du Chicago Climate Exchange et autre figure des marchés carbone avec Newcombe, afin de créer Sustainable Forestry Management Ltd. (SFM). Opportunément basée aux Bahamas, SFM est une société spécialisée dans le financement de projets forestiers destinés au commerce de crédits carbone dans les pays tropicaux et subtropicaux. Comme C-Quest Capital, Climate Change Capital et les autres, elle combine activités commerciales et activités de plaidoyer. En janvier 2007, SFM plaidait ainsi auprès du parlement britannique en faveur de marchés volontaires qui, selon la société, « offrent la flexibilité requise pour atteindre [les réductions d'émissions nécessaires] en créditant les projets forestiers actuellement exclus des marchés réglementés. Cela inclut les crédits pour la déforestation évitée, la régénération naturelle assistée et la gestion durable des forêts[55] ». SFM s'est également payé les services de Stuart Eizenstat, un ancien négociateur américain du protocole de Kyoto, afin de faire du plaidoyer en faveur de l'inclusion de crédits carbone forestiers dans la législation climat américaine et européenne.

Grâce aux Paradise Papers, on a découvert en 2017 la liste des investisseurs de SFM. C'est un véritable *Who's Who* des grands propriétaires fonciers britanniques, parmi lesquels Charlotte Townshend, deuxième femme la plus riche d'Angleterre après feu la reine Elizabeth II et propriétaire de près

---

53. Burrell, Ian (1998), « Vietnam Battler who is Unlikely Defender of Rural Life », *The Independent*, 27 février.

54. En 1995, Bettelheim est à l'origine du Countryside Business Group, un lobby prochasse et proruralité soutenu, entre autres, par le duc de Westminster, l'homme le plus riche du Royaume-Uni.

55. Lang, Chris (2017), « Prince Charles' Offshore Investment in Sustainable Forestry Management Ltd. A Cautionary Tale featuring Conflicts of Interest, a Web of Offshore Companies, Carbon Credits, Transfer Pricing, and Tax Avoidance Galore », REDD Monitor, 15 novembre.

de 6 000 hectares de terres dans le comté du Dorset, ainsi que d'environ 8 hectares de propriétés dans le quartier très cossu de Holland Park à l'ouest de Londres[56]. Ou encore Hugh Van Cutsem qui, jusqu'à sa mort en 2013, était l'heureux propriétaire du Breckland estate, 1 600 hectares dans le comté du Norfolk, prisés par les amateurs de chasses privées. On y a enfin trouvé Charles Ellingworth, riche promoteur immobilier à la tête du Cadogan Group, société qui détient 6 milliards d'actifs immobiliers, notamment au cœur de Chelsea, à Londres. Pour la petite histoire, le Cadogan Group est également propriétaire du Cadogan Hall, où s'est tenu l'événement sur le climat organisé par George Polk en 2007 et évoqué dans le chapitre 1. À ces riches propriétaires, s'adjoignent lord Browne, ancien PDG de BP, et Marcel Van Poecke, dont la société AtlasInvest est active dans le pétrole et le gaz[57].

Ce qui a surtout attiré l'attention de la presse était la présence dans les Paradise Papers du prince (et désormais roi) Charles, ami d'enfance de Van Cutsem, parmi les investisseurs de SFM. Il était ainsi révélé qu'il aurait, par le biais du duché de Cornouailles, investi 113 000 dollars dans SFM en février 2007[58]. *A priori*, rien d'illégal. Mais, quelques mois plus tard, Charles s'est activement impliqué dans le débat sur la REDD et la valorisation des forêts tropicales. Selon certains observateurs, à l'instar de sir Alistair Graham, ancien président de la Commission sur les normes dans la vie publique, un organisme public chargé de conseiller le Premier ministre sur les questions d'éthique publique, il s'agit clairement d'un conflit d'intérêts[59].

56. Dorset Echo (2018), « RICH LIST. Landowner the Hon Charlotte Townshend and New Look founder Tom Singh remain among the richest people in South West », 11 mai.

57. Cabral, Ernesto et Nelly Luna (2017), « Carbon Credits. The Multimillion Dollar Offshore Scheme in the Peruvian Amazon », *Ojo Publico*, 5 novembre.

58. Lang, Chris (2017), « Prince Charles' Offshore Investment in Sustainable Forestry Management Ltd », *loc. cit.*

59. BBC Paradise Papers reporting team (2017), « Paradise Papers. Prince Charles lobbied on Climate Policy after Shares Purchase », BBC, 7 novembre.

Le Prince's Rainforests Project

Quelques semaines avant la COP de Bali, le palais de Hampton Court, à Londres, a été le théâtre d'une soirée de gala. Les danseuses de samba et percussionnistes brésiliens étaient de sortie pour ce dîner organisé par le WWF en faveur de la protection des forêts tropicales. Pour le prince Charles, l'invité d'honneur, ce fut l'occasion d'annoncer le lancement d'une nouvelle initiative, le Prince's Rainsforests Project (PRP). L'objectif du PRP était de bâtir un consensus global sur la déforestation en prévision de la COP15 et de participer aux efforts autour de la REDD. Lors de son discours, Charles a insisté sur le fait que « lutter contre la déforestation est certainement l'une des façons les plus simples et rentables de réduire les émissions de CO_2 ». En bon VRP des marchés carbone, il s'inquiétait du fait que les systèmes d'échange de droits d'émission en place dans le cadre de Kyoto et au niveau européen n'offraient pas de crédits pour la conservation des forêts tropicales : « Il me semble que l'enjeu central dans ce débat est de savoir comment attribuer une valeur réelle aux forêts tropicales sur pied. [...] Nous devons simplement trouver un moyen de leur assigner un prix pour les rendre plus rentables vivantes que mortes[60]. » Le ton était donné.

Le PRP a opéré la jonction entre trois mondes : celui des riches propriétaires fonciers, celui de la conservation et celui de la finance verte. Charles est un symbole de l'aristocratie terrienne conservatrice et conservationniste britannique, aux antipodes, du moins en apparence, des *market liberals* progressistes engagés dans le débat climatique et de leurs soutiens à la City de Londres, à la Silicon Valley et à la Banque mondiale. En prêtant son nom à cette initiative et en se positionnant publiquement en faveur des mécanismes de marché, il a ouvert la voie à une nouvelle union sacrée entre groupes d'acteurs *a priori* bien différents.

60. BBC News (2007), « Prince's Plea to save Rainforests », BBC, 25 octobre.

Au côté de Charles, deux individus ont incarné cette union : Justin Mundy et Jack Gibbs, tous deux directeurs du PRP. Principal conseiller du futur roi et membre du Katoomba Group, Mundy est l'exemple même du riche entrepreneur climatique. Avant de rejoindre le PRP, il a conseillé le gouvernement britannique sur les questions énergétique et climatique, a été, entre autres, en charge des programmes biodiversité et forêts de la Banque mondiale en Russie et en Asie centrale, directeur de Climate Change Capital et conseiller spécial auprès de la Deutsche Bank. En 2004, il a fondé la société ForestRe, une société de réassurance pour propriétés de bois sur pied avec John Forgach, un ancien banquier d'affaires brésilien qui a fait fortune dans le négoce de pétrole brut et le transport maritime[61]. Jack Gibbs, quant à lui, est un ancien banquier d'affaires à Merrill Lynch à New York et à Londres. En tant qu'expert foncier certifié (*certified land agent*), il a également géré plusieurs propriétés agricoles et forestières au Royaume-Uni pour le compte de Carter Jonas, une société spécialisée dans la gestion de propriétés privées.

L'héritier du trône britannique s'est entouré d'individus (parfois des amis proches) qui avaient un intérêt direct à ce que le PRP promeuve la valorisation du capital naturel des forêts tropicales. À commencer par Mundy et Gibbs. Courant 2009, et alors qu'ils travaillaient toujours pour le PRP, ils ont fondé SLM Partners avec un ancien consultant de McKinsey et vice-président de Climate Change Capital, ainsi qu'un ancien banquier d'affaires, investisseur dans diverses propriétés foncières au Royaume-Uni et en Afrique. SLM Partners est une société d'investissement privé spécialisée dans les actifs agricoles et forestiers, qui se vante d'avoir des bureaux à Londres, New York et en Australie, de contrôler directement plus de 465 000 hectares de terres agricoles et de forêts en Europe, aux États-Unis

---

61. Synergos (2022), « John Michael Forgách. Giving Globalization a Human Face », site visité en octobre 2022.

et en Australie, et de générer ainsi plus de 1,37 million de dollars de crédits carbone[62].

Un autre membre du comité de pilotage du PRP, Hylton Murray-Philipson est cofondateur de la société d'investissement privé Canopy Capital en 2008. Peu de temps après son lancement, Canopy Capital a conclu un accord de cinq ans avec la réserve Iwokrama au Guyana, à qui la société s'est engagée à verser une contribution « significative » pour gérer durablement ses 371 000 hectares de forêt tropicale. En échange, Canopy Capital est devenu « propriétaire » des services écosystémiques de la forêt et des bénéfices éventuels qui pourraient en découler[63].

Dans le comité de pilotage du PRP, on trouve aussi Carter Bales, un ancien directeur de McKinsey et fondateur, en 2009, de NewWorld Capital, une société d'investissement privé spécialisée dans les énergies propres, l'efficience énergétique, les services environnementaux, la gestion des déchets et l'eau. En 2008, et par le biais de ses contacts au Clinton Climate Initiative, un projet de la fondation Clinton qui promeut les partenariats public-privé dans le domaine environnemental, il a participé à un rapport McKinsey très controversé sur la « déforestation évitée » commandité par le gouvernement du Guyana (avec des fonds étrangers). C'est sur la base de ce rapport que le gouvernement norvégien, lui-même conseillé par McKinsey, versera des centaines de millions de dollars au Guyana pour qu'il protège ses forêts. Les auteurs du rapport intitulé « Saving the World's Forests Today. Creating Incentives to Avoid Deforestation » seront accusés de gonfler artificiellement les niveaux de déforestation attendus afin de toucher plus de fonds dans le cadre de la REDD et de la part du gouvernement norvégien[64]. Comme le résume un responsable d'ONG : « Ces gens avaient tous

---

62. SLM Partners (2022), « Overview », site visité en octobre 2022.

63. Brahic, Catherine (2008), « Investor puts his Money into the Rainforest », *New Scientist*, 27 mars.

64. Lang, Chris (2009), « Guyana's President Jagdeo launches "avoided threatened deforestation" scheme », *REDD Monitor*, 2 février.

de l'argent placé dans les marchés carbone et avaient donc bien sûr tout intérêt à faire ce qu'ils ont fait[65]. »

REDD is not dead

Malgré l'échec des négociations, le mécanisme REDD a survécu à Copenhague. Au lendemain de la COP15, la voie a été plus que jamais ouverte au commerce de compensations carbone pour financer la protection des forêts tropicales. Malgré leurs désaccords sur tout un tas d'autres sujets, les délégués du Nord comme du Sud ont réaffirmé dans la décision finale de la COP « combien il est crucial de réduire les émissions résultant du déboisement et de la dégradation des forêts et de renforcer les absorptions d'émissions de gaz à effet de serre par les forêts ». Les délégués se sont aussi engagés à « recourir aux marchés, pour renforcer le rapport coût-efficacité des mesures d'atténuation et promouvoir celles-ci ». Ces principes seront réaffirmés dans l'article 5 de l'accord de Paris (2015), juste avant l'article 6 relatif aux marchés carbone.

Le mécanisme REDD est la pointe visible d'un iceberg dont la partie immergée cache une volonté de normaliser l'idée que la protection du climat passe par la marchandisation de la nature, et plus spécifiquement du carbone qu'elle séquestre. C'est ce dont témoigne entre autres le Mécanisme de développement propre (MDP). Comme l'explique Marco Monroy, fondateur de MGM International, une société américaine spécialisée dans le développement de projets liés aux marchés carbone, « du point de vue atmosphérique, le MDP est insignifiant, mais du point de vue de la culture, en termes de changement des choses, c'est ce qui est arrivé de plus important dans le débat climatique[66] ». On peut en dire autant du mécanisme REDD. Au final, ce qui compte, ce n'est pas tant son succès en termes de réduction d'émissions que sa contribution à l'orientation

65. Entretien avec l'auteur.

66. International Emissions Trading Association (IETA) (2016), « From Kyoto to Paris. An Oral History of the Carbon Market », mai.

du débat. Comme nous l'avons vu, ce qu'a permis la REDD c'est la mobilisation d'une multitude d'acteurs autour d'une seule et même idée : ce sont les mécanismes de marché fondés sur la marchandisation de la nature qui sauveront le climat.

Parmi les acteurs mobilisés, on trouve de riches propriétaires terriens pour qui la valorisation du carbone stocké dans les forêts tropicales et autres espaces naturels est non seulement une manière de conserver la faune et la flore, mais aussi de valoriser une classe d'actifs – la terre – qui constitue le fondement de leur richesse. La REDD et, à travers elle, le capitalisme vert, alimente une dynamique déjà en cours de privatisation et de concentration des terres entre quelques mains. Une fois que l'on a acté le principe de marchandisation du carbone contenu dans les forêts tropicales, pourquoi s'arrêter là ? Pourquoi ne pas étendre le concept à l'ensemble des puits naturels de carbone, y compris dans les Highlands d'Écosse ?

La valorisation du carbone séquestré dans les forêts et les tourbières favorise une enclosure d'un nouveau genre. Une enclosure qui ne se limite pas à la privatisation des terres mais aussi du carbone qu'elles recèlent. Une enclosure qui alimente un secteur entier de services et d'intermédiaires en tout genre. Une enclosure à « visage humain », enfin, qui participe à un effort plus large de légitimation des ultra-riches et du système économique inégalitaire dont ils profitent. Comme nous le rappelle Brett Christophers dans son livre *The New Enclosure*, le « capitalisme de rente » se porte très bien au XXIe siècle. En 2017 au Royaume-Uni, vingt-six des cent personnes les plus riches citaient la propriété foncière comme source majeure de leur fortune[67]. Avec la valorisation du capital naturel et le développement des mécanismes de compensation, il y a fort à parier que cette part ira croissant. En ce sens, la rencontre de Kilfinan en marge de la COP26 est symptomatique de la dynamique en cours. D'un enjeu lointain et abstrait car circonscrit aux forêts tropi-

67. Christophers, Brett (2018), *The New Enclosure. The Appropriation of Public Land in Neoliberal Britain*, Londres, Verso, p. 267.

cales du Sud, la marchandisation du « carbone naturel » et la concentration des terres qui en résulte s'étendent désormais à l'ensemble des espaces naturels.

Cet état de fait est le produit d'une communauté épistémique de chercheurs, d'experts, de représentants de gouvernements, d'ONG et de *think-tanks*, d'entrepreneurs et de consultants qui, à travers leurs efforts coordonnés, ont permis la jonction entre ultra-riches et débat climatique international centré sur les négociations onusiennes. Du côté des consultants, une entreprise en particulier a contribué à ce travail de mise en réseau et de construction d'une compréhension commune de l'enjeu : McKinsey & Co. Comme nous l'avons vu dans ce chapitre, McKinsey a notamment conseillé des pays comme la Norvège et le Guyana sur leurs stratégies REDD. Mais comme nous le verrons dans le chapitre suivant, les efforts de « la Firme » ne se sont pas limités au seul débat sur les forêts tropicales. Dans la période qui a précédé la COP15 de Copenhague, McKinsey s'est immiscé au cœur du débat climatique international pour en devenir un des principaux animateurs.

3

L'éléphant dans la pièce

Cinquième journée d'action d'Extinction Rebellion (XR) devant l'entrée des fastueux bureaux londoniens de McKinsey & Co., la célèbre société de conseil en stratégie. Depuis novembre 2019, une poignée de militants se rend deux fois par mois au pied du Post Building, un ancien centre de tri postal converti en bureaux de luxe, pour y interpeller les salariés de la firme sur l'inaction climatique de leur employeur. Ce 31 janvier 2020, et devant de rares journalistes, une trentaine d'activistes ont déployé des bannières et pris place devant un éléphant géant à roulettes sur lequel on pouvait lire « *Deeds not Words* » (« Des actes, pas des paroles »). Le mammifère proboscidien symbolise la crise climatique, l'« éléphant dans la pièce » qui est visible de tous mais que McKinsey n'évoque jamais par crainte de s'aliéner une partie de sa clientèle. Leur revendication : que Kevin Sneader, le directeur général de McKinsey, déclare « une urgence climatique et écologique » ; que la firme, qu'ils qualifient de « grand prêtre du capitalisme mondialisé », publie un objectif ambitieux de réduction de ses émissions ; et enfin qu'elle dévoile la part de ses clients en passe d'atteindre les objectifs fixés dans l'accord de Paris. Il faut, réclament les activistes de XR, que McKinsey « se serve de son influence démesurée sur les gouvernements et les grandes entreprises pour entraîner une réduction drastique des émissions globales de carbone et éviter les conséquences les plus graves du dérèglement climatique[1] ».

1. XR Newsletter (2020), « UK Newsletter #8: Unexpected Elephants and Supermarket Crime Scenes », 7 février.

L'impact médiatique de l'action fut plutôt limité. Quelques tweets, une poignée d'articles en ligne. C'est à peu près tout. La cible était pourtant bien choisie. En effet, McKinsey, ce n'est pas n'importe qui dans le débat climatique international. C'est une entreprise qui, compte tenu de sa clientèle, est directement au service du capitalisme fossile. Comme nous allons le voir dans ce chapitre, c'est également une entreprise qui s'est fortement investie dans le débat climatique international, et plus particulièrement dans la construction d'un nouveau cadre de gouvernance qui consacre un peu plus le capitalisme vert comme seule issue face à la crise. L'éléphant dans la pièce ce n'est donc pas seulement le climat, mais aussi McKinsey et, à travers elle, le secteur du conseil en stratégie.

Le début des années 2000 a connu un fort développement du conseil climatique, avec une grande diversité d'acteurs : des sociétés spécialisées dans la durabilité, la responsabilité sociale et environnementale des entreprises (RSE) et la gestion environnementale comme SustainAbility, CH2M Hill, California Environmental Associates (CEA) ou Blue Skye, à des mastodontes généralistes (audit, conseil) comme PwC ou Deloitte, en passant par des sociétés spécialisées dans le conseil en stratégie comme AT Kearney, Booz Allen et le prestigieux trio « MBB » : McKinsey & Co., BCG et Bain & Co. Toutes ces boîtes prodiguent leurs conseils aux directions et conseils d'administration des plus grandes multinationales, ONG, fondations philanthropiques, institutions internationales et intergouvernementales, ainsi qu'aux bureaucraties étatiques et cabinets ministériels du monde entier.

La Firme

McKinsey occupe une place à part dans le secteur en pleine expansion du conseil en durabilité (*sustainability consulting*) et dont le marché est évalué à plus de 4 milliards de dollars selon Fiona Czerniawska, directrice de Source Global Research[2].

2. Iacone, Amanda et Stephen Lee (2022), « ESG Consultant Shortage Looms as Corporate Reporting Race Begins », *Bloomberg Tax*, 28 juin.

« La Firme », comme on l'appelle communément, est tout simplement la plus grande (33 000 salariés en 2020), la plus ancienne (fondée en 1926), la plus influente et la plus prestigieuse des *big three* qui dominent le très lucratif et très exclusif marché du conseil en stratégie[3]. Avec comme clients quatre-vingt-dix des cent plus grandes entreprises mondiales, McKinsey est au cœur du capitalisme mondialisé. Elle est aussi, par conséquent, au cœur du capitalisme fossile. Au cours des cinquante dernières années, elle a conseillé quarante-trois des cent plus gros émetteurs mondiaux, parmi lesquels BP, Exxon Mobil, Gazprom et Saudi Aramco[4]. Avec un tel fichier clients, McKinsey « agit comme catalyseur et accélérateur de toutes les grandes tendances de l'économie mondiale : consolidation d'entreprises, montée de la publicité, rémunération incontrôlée des cadres, mondialisation, automatisation, restructurations et stratégies *corporate*[5] ». En bref, et comme l'écrit l'un de ses anciens consultants, McKinsey c'est un peu « le capitalisme à l'état pur ». La firme est « globale, agile, flexible et indéfectiblement promarchés et promanagement. [Elle] a un énorme intérêt à ce que les choses restent *grosso modo* inchangées. Travaillant pour tous les côtés, la seule allégeance de McKinsey est au capital[6] ».

Par ailleurs, on l'a vu, McKinsey travaille aussi pour des ONG, des fondations philanthropiques et des entités publiques. De la recherche « d'opportunités de réduction des coûts de détention » pour le Service de l'immigration et de l'application des règles douanières (Immigration and Customs Enforcement) des États-Unis, à la « réforme » du système public de santé au Royaume-Uni, à la « stratégie covid » du gouvernement français[7], en passant par l'assistance

---

3. Anonyme (2019), « McKinsey & Company. Capital's Willing Executioners », *Current Affairs*, 5 février.

4. Forsythe, Michael et Walt Bogdanich (2021), « At McKinsey, Widespread Furor over Work with Planet's Biggest Polluters », *New York Times*, 27 octobre.

5. Anonyme (2019), « McKinsey & Company », *loc. cit.*

6. *Ibid.*

7. Petitjean, Olivier (2020), « Covid-19. Ces consultants au cœur de la "défaillance organisée" de l'État », Basta! Mag, 5 juin.

à l'Union européenne pour son traitement des demandes d'asile en Grèce, McKinsey se tient au plus près des appareils étatiques et interétatiques. Rien qu'aux États-Unis la firme a reçu 613 millions de dollars en contrats fédéraux entre 2012 et 2018[8]. À chaque fois, la firme applique les mêmes recettes importées du privé : *cost cutting* (baisses des dépenses), *benchmarking*, accroissement des « performances », restructurations, externalisation de compétences auprès de prestataires privés…

Les consultants McKinsey ne se voient pas comme de simples « exécutants » ou « prestataires de services », mais comme des producteurs et diffuseurs de savoirs. Comme le raconte une ancienne consultante de la firme, « on encourage activement les salariés à produire du savoir sur des sujets qui ne sont pas encore *mainstream* et qui ne sont pas encore utilisés par les clients[9] ». Entre son réseau d'anciens consultants, ses contacts privilégiés dans les conseils d'administration, cabinets ministériels et écoles de gestion les plus prestigieuses (en particulier la Harvard Business School), son *think-tank* – le McKinsey Global Institute (MGI) – et sa revue – le *McKinsey Quarterly* –, McKinsey dispose d'une capacité inégalée à identifier les dernières idées et tendances, les synthétiser, se les réapproprier, les amender, les réempaqueter et les revendre à ses clients sous la forme de présentation PowerPoint. Comme l'explique Duff McDonald, journaliste et auteur du livre *The Firm*, le succès de McKinsey n'est pas tant lié à l'originalité de ses idées et recommandations qu'à « la revente des idées d'autrui[10] ».

C'est ce réseau et ces compétences que McKinsey a mobilisés au service du capitalisme vert dans la période précédant la Conférence sur le climat de Copenhague en 2009 (COP15). La firme a contribué à standardiser une approche « pragmatique », « analytique », prétendument « apolitique » et relevant du « bon sens », centrée sur les acteurs privés

8. Anonyme (2019), « McKinsey & Company », *loc. cit.*

9. Entretien avec l'auteur.

10. McDonald, Duff (2013), *The Firm. The Story of McKinsey and its Secret Influence on American Business*, Londres, Simon & Schuster.

(entreprises, investisseurs), l'innovation et les mécanismes de marché ; approche qui finira par s'imposer en 2015 lors de la COP21 à Paris[11]. En ce sens, la firme a pris part à un effort plus large, et particulièrement visible à partir de 2006-2007, de traduction de la science du climat en politiques économiques. La publication, fin 2006, de *The Economics of Climate Change*, plus connu sous le nom de « Stern Review », du nom de l'économiste Nicholas Stern qui l'a signé, fut de ce point de vue une étape importante. Le succès du rapport dans les milieux économiques et politiques s'explique notamment par sa traduction chiffrée des impacts de l'inaction et de l'action climatiques en coûts et opportunités économiques. Cela a largement contribué à « naturaliser » l'idée du capitalisme vert ; idée dont McKinsey a participé à l'élaboration de manière décisive à compter de 2007[12].

McKinsey, c'est l'anarchie

Avant 2007, McKinsey était quasiment absente du débat climatique international. En quelques mois, tout a changé. Comme nous le verrons, la firme a grandement influencé le processus de négociations censé déboucher sur un nouvel accord international à Copenhague en 2009. Elle a conseillé la présidence danoise. Elle avait l'oreille des négociateurs des principales parties prenantes autant que des institutions onusiennes. Pour comprendre sa fulgurante ascension, il faut s'intéresser au fonctionnement interne de l'entreprise. Comme le résume un de ses anciens consultants, « McKinsey, c'est l'anarchie » : « [...] c'est le plus grand partenariat du monde, et ce sont les associés qui commandent[13] ». Si un associé arrive à monter une équipe et à trouver l'argent pour la payer,

---

11. Aykut, Stefan, Édouard Morena et Jean Foyer (2021), « "Incantatory" Governance. Global Climate Politics' Performative turn and its Wider Significance for Global Politics », *International Politics*, n° 58, p. 519-540.
12. Newell, Peter et Matthew Paterson (2012), *Climate Capitalism*, *op. cit.*
13. Anonyme (2019), « McKinsey & Company. Capital's Willing Executioners », *Current Affairs*, 5 février.

McKinsey fera le travail. Par contre, quand la source se tarit, il est prié de passer à autre chose. Les *billings* (facturations) sont au cœur du système et dictent *in fine* la marche à suivre.

C'est d'ailleurs cette difficulté à générer des contrats qui avait coupé court à la précédente incursion de la firme dans le domaine environnemental. C'était à la fin des années 1980, sous l'impulsion de Pieter Winsemius, directeur au bureau d'Amsterdam. Après un passage comme ministre de l'Environnement des Pays-Bas de 1982 à 1986, Winsemius est retourné à McKinsey, où il a monté une petite équipe spécialisée dans le management environnemental. Mettant à profit son expérience gouvernementale, il a passé plusieurs contrats avec son successeur au ministère et des industriels hollandais. En 1989, le ministère de l'Environnement des Pays-Bas a notamment fait appel à lui pour préparer la Conférence ministérielle sur la pollution atmosphérique et le changement climatique à Noordwijk. Considérée comme la première grande rencontre politique internationale sur le climat, elle a réuni quelque soixante-dix ministres et posé les bases de la future Convention climatique. En amont de la conférence, Winsemius et son équipe ont produit un rapport visant à informer les discussions. Intitulé « Protéger l'Environnement Global : Mécanismes de Financement », ce rapport a introduit plusieurs idées et concepts importants, dont celui de Mise en œuvre conjointe (MOC), qui envisage que certaines réductions d'émissions au niveau d'un pays peuvent être substituées par des actions plus efficaces ailleurs[14]. Ce mécanisme, avec celui dit de « développement propre » (MDP, voir chapitre 2), a formé la base des mécanismes de compensation qui sont désormais au cœur de la gouvernance climatique internationale. Il incluait aussi la première courbe des coûts marginaux de réduction des émissions de gaz à effet de serre, qui, comme nous le verrons ci-dessous, sera au cœur du retour de McKinsey en amont de la COP15.

14. Kuik, Onno, Paul Peters et Nico Schrijver (1994), *Joint Implementation to Curb Climate Change*, Londres, Springer.

Juste avant la Conférence de Rio, en 1992, et dans un contexte de popularisation de l'enjeu environnemental, Winsemius et un autre directeur de la firme, l'Allemand Ulrich Guntram, ont créé une unité spécialisée dans le management environnemental, le Environmental Practice. Au cours de la décennie 1990, ses membres se sont efforcés de développer leurs activités des deux côtés de l'Atlantique. L'enjeu était de concurrencer d'autres sociétés d'audit comme KPMG ou Arthur D. Little, qui avaient commencé à exploiter le filon du conseil environnemental et créé leurs propres unités spécialisées. S'y ajoutait une poignée de sociétés spécialisées comme Sustainability ou Environmental Resource Group. Malgré des débuts prometteurs, le Environmental Practice fut démantelé à la toute fin des années 1990. Cette fin prématurée s'explique à la fois par le manque de clients et par les réticences internes, en particulier de consultants actifs dans les secteurs du gaz, du pétrole et de l'automobile[15]. Un membre du Practice se souvient d'un atelier organisé sur l'environnement avec des hauts responsables d'entreprise : « C'était horrible. Ils se jetaient sur moi comme des lions parce qu'ils s'opposaient à tout ce que je leur présentais. » En parlant de cette époque, un autre consultant de la firme la résume ainsi : « Ils étaient en avance sur le débat global, et donc en avance sur la demande[16]. »

Le marchepied Vattenfall

Il faudra attendre 2007 pour voir McKinsey réinvestir le débat climatique international. Le contexte de l'époque était particulièrement porteur. En 2005-2007, le climat était sur toutes les lèvres. Comme nous l'avons vu dans le chapitre 1, 2005, c'est l'entrée en vigueur, sur le plan européen, du premier système d'échange de quotas d'émissions au niveau européen. 2006, c'est *Une vérité qui dérange*, le documentaire

---

15. Richter, Konstantin (1999), « "Sustainable Development" has been Slow to take off », *Wall Street Journal*, 14 décembre.

16. Entretien avec l'auteur.

d'Al Gore, symbole de la popularisation de l'enjeu, ainsi que l'influent rapport Stern sur l'économie du changement climatique mentionné ci-dessus. 2006, c'est aussi le début des discussions censées déboucher sur un nouvel accord international sur le climat en 2009 à Copenhague. 2007, c'est le quatrième rapport d'évaluation du Groupe d'experts intergouvernemental sur l'évolution du climat (GIEC). 2006 et 2007, enfin, c'est la multiplication des initiatives et partenariats d'entreprises pour le climat, parmi lesquels le US Climate Action Partnership (USCAP) aux États-Unis, ou encore l'initiative Combat Climate Change (3C), qui regroupe plusieurs grands producteurs d'énergie et industriels[17].

C'est par le biais d'un de ses clients, la société publique suédoise de production et de distribution d'électricité Vattenfall, que McKinsey a opéré son grand retour. À l'époque, Vattenfall était activement engagé dans le débat climatique international et jouait un rôle moteur dans l'initiative 3C. Son PDG, Lars Josefsson, est une figure du *corporate environmentalism*. En 2005, le magazine *Time* l'a désigné « héros européen » de l'environnement[18]. On s'en doute, la conversion de Vattenfall à la cause climatique n'avait rien de désintéressé. Sous la houlette de Josefsson, Vattenfall avait racheté plusieurs centrales à charbon et mines de lignite ultra-rentables et ultra-polluantes en Allemagne. Quatre de ces centrales faisaient partie des « Dirty Thirty », un classement des trente centrales électriques européennes les plus polluantes établi par le WWF en 2005[19]. Pour ses détracteurs, c'est ce rachat, et la hausse significative des émissions qui lui étaient associées, qui explique cette conversion soudaine de Vattenfall à la cause climatique[20].

---

17. 3C – Combat Climate Change (2007), www.combatclimatechange.org, Site consulté *via* le Internet Archive.

18. « 2005 European Heroes », *Time Magazine*, 10 octobre 2005.

19. WWF International (2005), « Dirty Thirty – Europe's Worst Climate Polluting Power Stations », 26 novembre.

20. Ekman, Ivar (2007), « Spotlight: Lars Josefsson of Vattenfall », *The New York Times*, 31 mai.

Mais cette volonté de « climatiser » l'entreprise s'expliquait aussi par le contexte national suédois. Comme le raconte un proche conseiller de Josefsson : « À l'époque, Vattenfall était entièrement suédois et l'enjeu principal c'était le futur de l'énergie nucléaire en Suède. Le Parlement suédois avait décidé de geler les émissions, et en même temps de supprimer graduellement le nucléaire[21]. » Dans un contexte national où les politiques climatiques occupaient une place de plus en plus importante, il fallait garantir une « stabilité en termes de politique et de tarification des émissions ». Dans un marché européen de l'énergie dérégulé, ce n'était rien de moins que la survie de Vattenfall qui en dépendait.

Vattenfall n'était bien évidemment pas la seule grande entreprise à se prononcer en faveur de l'action climatique. Elle s'est néanmoins distinguée par sa volonté de déborder le cadre national, d'aller au-delà des enjeux spécifiques à son secteur d'activité et de s'investir dans l'élaboration d'un nouveau régime climatique international. Dans cette optique, Vattenfall a créé un groupe de travail interne en 2005, le Climate Working Group, afin de plancher sur l'avenir de la gouvernance climatique internationale et le rôle que devaient y jouer les grandes entreprises. Il en est résulté un rapport, « Curbing Climate Change » (« Freiner le réchauffement climatique »), publié début 2006, juste à temps pour le Forum économique mondial de Davos qui avait lieu fin janvier. Comme l'a écrit un observateur de l'époque à propos du rapport, « c'est à notre connaissance la première grande entreprise à proposer, de façon détaillée et exhaustive, un régime climatique global qui inclut des plafonds contraignants en matière d'émissions de gaz à effets de serre[22] ». Le rapport insiste sur les bienfaits d'un marché carbone mondial fonctionnel, et surtout sur la néces-

21. Entretien avec l'auteur.

22. Baer, Paul, et Tom Athanasiou (2007), « Curbing Climate Change? A Critical Appraisal of the Vattenfall Proposal for a Fair Climate Regime », *Global Issue Papers*, n° 31, Berlin, Heinrich Boll Stiftung.

sité de politiques climatiques cohérentes et stables dans le temps. Enfin, il met l'accent sur le rôle clé des dirigeants d'entreprise : « Jusque-là, regrettent les auteurs du rapport, les dirigeants d'entreprise ont trop souvent commis l'erreur stratégique de laisser aux politiques et aux ONG le soin de gérer le problème tout seuls[23]. »

La courbe des coûts marginaux de réduction des émissions de gaz à effet de serre

Peu de temps après sa publication, Jens Riese et Per-Anders Enkvist, deux consultants du bureau de McKinsey à Stockholm qui avaient eu vent du rapport, ont flairé le bon coup. Ils ont proposé à Vattenfall de travailler sur un nouveau rapport en vue du prochain Forum de Davos prévu en janvier 2007. McKinsey et Vattenfall n'étaient pas étrangers l'un à l'autre. Dès les années 1990, le bureau suédois de la firme avait noué des liens étroits avec le géant suédois de l'énergie. En collaborant avec McKinsey, Vattenfall espérait tirer parti du réseau et des compétences analytiques et communicationnelles de la firme. Comme me l'a expliqué un ancien cadre de Vattenfall, McKinsey est expert dans l'art du « discours adapté aux conseils d'administration, centré sur l'action, plutôt que sur la dénonciation ou la déploration[24] ». Du côté de McKinsey, Vattenfall offrait une porte d'entrée dans le débat climatique international.

McKinsey fait penser au piquebœuf à bec rouge, ce petit oiseau que l'on trouve en Afrique perché sur le dos des bœufs et autres herbivores et qui s'alimente des peaux mortes et parasites de leurs hôtes. En s'associant au géant suédois de l'énergie, Riese et Enkvist ont profité du travail déjà entamé par Vattenfall. Mais ils ne se sont pas arrêtés là. Dans le plus pur style McKinsey, les deux consultants ont recyclé,

23. Vattenfall (2006), « Curbing Climate Change. An Outline of a Framework leading to a Low Carbon Emitting Society », janvier.

24. Entretien avec l'auteur.

adapté et actualisé un modèle analytique déjà éprouvé et largement répandu au sein de la firme : la courbe des coûts marginaux. Nous l'avons vu, McKinsey avait développé une première courbe des coûts appliquée au climat dans le cadre de la conférence de Noordvijk en 1989. Selon un ancien consultant très impliqué dans les activités climat de la firme, « la courbe des coûts appliquée aux leviers de réduction des GES était une invention de Winsemius[25] ». En réalité, et comme nous l'apprendrons dans le cadre de cette enquête, c'est Frédérique Six, une consultante junior embauchée par Winsemius, qui est à l'origine de ce travail. Preuve supplémentaire que l'histoire s'écrit du point de vue des puissants.

Le principe de la courbe des coûts marginaux est très simple. Sur l'axe des abscisses, on trouve le potentiel en termes de réductions (en $GtCO_2e$/an) pour différentes options sectorielles. Cela va de l'isolation de bâtiments à la déforestation évitée (voir chapitre 2), en passant par l'éolien, le nucléaire et le captage et la séquestration de carbone. Sur l'axe des ordonnées, on trouve les coûts estimés par tonne équivalent de CO_2 pour chaque option. Il en résulte un diagramme en bâtons où chaque bâton est une option, allant de la moins onéreuse – y compris celles qui ont un coût négatif – à la plus onéreuse. À chaque fois, la hauteur du bâton correspond au coût et son épaisseur correspond au potentiel en termes de réduction d'émissions. Plus le bâton est épais, et plus l'option doit permettre de réduire des émissions en cas d'adoption. La simplicité de la courbe lui confère un pouvoir insoupçonné, presque envoûtant. En un clin d'œil, on voit ce qu'il faut faire, combien ça va coûter et combien ça va rapporter en termes de réduction.

C'est cette simplicité qui explique le succès quasi instantané de la courbe, et ce malgré l'opacité qui entoure les données présentées et les options sélectionnées. Car McKinsey, au nom du secret professionnel, n'a pas commu-

---

25. Entretien avec l'auteur.

niqué sur la méthodologie. On était invité à les croire sur parole. Ce n'est qu'à compter de 2010 que les premières véritables critiques du modèle ont émergé, notamment à partir des débats autour des forêts tropicales. En 2010 et 2011, Greenpeace et la Rainforest Foundation ont publié deux rapports où ils pointent du doigt les failles méthodologiques des courbes des coûts sur la question des forêts tropicales : sous-estimation et omission de certains coûts liés à la réduction des émissions liées à la déforestation, calculs des compensations pour la préservation des forêts fondés sur des projections extravagantes et invérifiables, non-prise en compte d'enjeux politiques et de gouvernance. En 2012, Fabian Kesicki et Paul Ekins ont publié un article dans la revue *Climate Policy* où ils pointent du doigt toute une série de problèmes, parmi lesquels, le manque de transparence quant aux postulats, la prise en compte limitée de l'incertitude, des bénéfices auxiliaires de la réduction des émissions, et des coûts non financiers[26].

Publiée début 2007, la courbe McKinsey offrait un sentiment de rationalité et de crédibilité scientifique à un récit enchanteur centré sur la croissance, les mécanismes de marché, les entreprises et investisseurs et l'innovation bas carbone. C'est ce qui explique son succès auprès de certains experts du climat, et en particulier ceux actifs au sein du groupe de travail 3 du GIEC. Comme l'explique un ancien membre de ce groupe : « J'ai une formation technique, et donc cette manière d'analyser la situation et de chercher les solutions les moins coûteuses était bien sûr très intéressante pour moi[27]. » À l'image du « Stern Review », la priorité y est donnée à la construction d'un cadre analytique mobilisateur, chiffré et crédible, et au renforcement de l'idée que l'inaction climatique est un non-sens économique, quitte à fermer les yeux sur les failles méthodologiques et le manque

---

26. Kesicki, Fabian, et Paul Ekins (2012), « Marginal Abatement Cost Curves. A Call for Caution », *Climate Policy*, 12(2), p. 219-236.

27. Entretien avec l'auteur.

de transparence. En ce sens, la courbe des coûts est dans l'air du temps. Elle permet d'exposer les avantages économiques de l'action climatique et, ce faisant, de mobiliser les élites politiques et économiques.

Structurer le travail climatique

C'était le 17 janvier 2007. La courbe des coûts produite par McKinsey pour Vattenfall venait tout juste de sortir. On était en pleine tempête Kyrill, une tempête historique et meurtrière qui a coûté la vie à environ quarante-cinq personnes et provoqué plusieurs milliards d'euros de dégâts. Alors que le vent soufflait en rafales à l'extérieur, un groupe de consultants McKinsey, parmi lesquels Jeremy Oppenheim, Jens Riese, Per-Anders Enkvist et Martin Stuchtey, s'est réuni au centre de conférences de l'aéroport de Munich pour parler climat. Au-delà de leurs intérêt et préoccupation personnels pour l'enjeu climatique, ils voyaient le potentiel de la courbe des coûts et souhaitaient l'exploiter. Comme le raconte l'un des participants : « Il nous fallait un déclencheur pour laisser de côté nos vieux dossiers et travailler sur ce nouveau sujet[28]. » Leur idée était simple : mettre sur pied un projet transversal au sein de la firme afin de décliner la courbe des coûts à toutes les sauces. Le consultant poursuit : « On l'a tranchée et découpée par aires géographiques et par secteurs d'activité. On trouvait ça super pratique. C'est exactement le genre d'analyse qu'il nous fallait, à la fois suffisamment précise et simple pour rentrer dans le modèle intellectuel du conseil en entreprises[29]. » La rencontre a débouché sur le Climate Change Special Initiative (CCSI), le premier projet transversal au sein de la firme consacrée au climat.

La publication de la courbe des coûts fait l'effet d'une bombe à l'intérieur de McKinsey. Comme le raconte une ancienne

28. Entretien avec l'auteur.
29. Entretien avec l'auteur.

consultante de la firme : « Tout le monde s'est mis à courir dans tous les sens pour trouver des pays, ONG, entreprises qui pourraient être intéressés pour faire leurs propres courbes des coûts. En à peine un ou deux ans, on a développé des tas de courbes des coûts pour des villes, des pays, des industries, bref, pour tout le monde, partout. Certaines rémunérées, d'autres non. C'était tout simplement la marotte du moment[30]. » En six mois à peine, McKinsey a développé plus d'une soixantaine de courbes. Un autre consultant le résume ainsi : « Mettez un marteau entre les mains de McKinsey, ils seront très bons pour trouver les clous[31]. » Parmi les premiers clients, on trouve notamment des fédérations professionnelles comme la Fédération des industries allemandes (BDI) ou la Confédération des industries britanniques (CBI), qui ont commandé des courbes des coûts nationales. Une courbe pour les États-Unis sera également produite à la demande de grandes ONG (Environmental Defence et NRDC) et entreprises de l'énergie (DTE Energy, Honeywell, National Grid, PG&E et Shell)[32]. Une dizaine d'autres courbes nationales seront produites entre 2008 et 2009[33].

Jeremy Oppenheim s'est imposé très vite à la tête du CCSI. En 2007, il occupait une position clé au sein de la firme. En tant que directeur associé au bureau de Londres, il faisait partie de l'élite de McKinsey (qui, en 2009, ne comptait que 400 directeurs associés). À cette époque, le bureau londonien entretenait des liens privilégiés avec la majorité travailliste au pouvoir. Depuis son élection en 1997, Tony Blair avait régulièrement fait appel à la firme afin de l'assister dans ses programmes de réformes et de « modernisation »

30. Entretien avec l'auteur.

31. Entretien avec l'auteur.

32. Wald, Matthew (2007), « Study details how U.S. could cut 28% of Greenhouse Gases », *The New York Times*, 30 novembre.

33. Australie (février 2008), Suède (avril 2008), République tchèque (novembre 2008), Suisse (janvier 2009), Chine (février 2009), Brésil (mars 2009), Belgique (avril 2009), Israël (novembre 2009), Russie (décembre 2009) et Pologne (décembre 2009).

des services publics. Au début des années 2000, McKinsey était très bien représentée à l'intérieur du « policy unit » de Downing Street, une cellule de conseillers et de proches collaborateurs du Premier ministre chargés de plancher sur la stratégie à long terme du gouvernement. On y trouvait notamment David Bennett, lord Birt, Nick Lovegrove et Adair Turner. En 2008, ce dernier prendra d'ailleurs la tête de la Climate Change Commission, l'équivalent britannique du Haut Conseil pour le climat[34].

Dans le cadre de ses activités climatiques, Oppenheim pouvait compter sur de nombreux relais au sein du gouvernement travailliste, d'autant plus que le Royaume-Uni se voulait à la pointe en matière de diplomatie climatique. Comme nous l'avons vu dans le chapitre 1, la City de Londres est une plaque tournante de la finance verte. En 2005, Blair a pris l'initiative de mettre le climat à l'agenda de la réunion du G8, et ce malgré les réticences de George W. Bush. Blair se rêvait en trait d'union entre l'Europe et l'Amérique du Nord et en artisan du retour des États-Unis dans le débat climatique international suite à leur retrait du protocole de Kyoto en 2001. Après son départ de Downing Street, Blair s'est d'ailleurs associé au Climate Group et à McKinsey afin de lancer Breaking the Climate Deadlock, un projet qui, par le biais de rapports et d'interventions publiques, était censé créer les conditions d'un accord à Copenhague.

Le bureau londonien où travaillait Oppenheim hébergeait le directeur général de McKinsey, Ian Davis. Le départ du flamboyant Rajat Gupta, en 2003 et la désignation du plus discret et austère Davis signalaient une volonté de la firme d'investir le champ de la responsabilité sociale et environnementale des entreprises (RSE) et de redorer son image, notamment à la suite du scandale Enron, où McKinsey s'était retrouvée fortement impliquée. Comme l'a écrit Davis dans *The Economist* en 2005, la priorité était désormais de développer

34. Laville, Sandra et Nils Pratley (2005), « Brothers who sit at Blair's Right Hand », *The Guardian*, 18 juin.

un « nouveau contrat social » entre les grandes entreprises, y compris McKinsey, et la société. Cela passait par l'adoption d'une approche moins court-termiste et l'intégration d'enjeux sociaux et sociétaux dans la stratégie de la firme et de ses clients[35]. Pour les dirigeants de McKinsey, les projets dans le domaine sociétal tel que la santé publique ou le climat, avaient « un impact disproportionné sur l'image externe de la firme et son sens interne du devoir[36] ». C'est dans ce contexte qu'Oppenheim s'est intéressé, avec sa collègue californienne Sheila Bonini, à l'économie sociale et aux critères environnementaux, sociaux et de gouvernance (ESG) et s'est impliqué dans des initiatives comme le Pacte mondial des Nations unies.

Occuper le terrain et crédibiliser la firme

Afin de positionner McKinsey comme « leader d'opinion » sur le climat et, par la même occasion, de promouvoir et de vendre sa courbe des coûts, Oppenheim et les membres du CCSI ont produit un flux ininterrompu d'articles et d'interventions en tout genre. La priorité, comme le révèle un document stratégique interne de 2006, était « de publier régulièrement, de coorganiser des conférences importantes et d'atteindre [un] haut niveau de reconnaissance[37] ». Les consultants étaient sommés d'entretenir des « relations durables » avec les « leaders des secteurs » qu'ils souhaitaient pénétrer.

En 2007 et 2008, les membres du CCSI ont coécrit une série d'articles thématiques traitant de différents sujets en lien avec la courbe des coûts et le climat : biocarburants, énergie solaire, capture et séquestration de carbone, chaînes d'approvisionnement, « productivité énergétique », rôle des consommateurs… À cela se sont ajoutées des enquêtes auprès

---

35. Davis, Ian (2005), « The Biggest Contract », *The Economist*, 26 mai.
36. Belluz, Julia, et Marine Buissonniere (2019), « How McKinsey infiltrated the World of Global Public Health », *Vox*, 13 décembre.
37. *Ibid.*

de dirigeants d'entreprise et des interviews de personnalités climatiques comme l'ancien vice-président américain Al Gore, ou le « gourou de l'efficience énergétique » Amory Lovins. En mai 2007, le McKinsey Global Institute, le *think-tank* de la firme, a publié un premier rapport, sur une série de secteurs – construction, transport, industrie, production électrique – où, avec la bonne combinaison de politiques publiques et de choix d'investissements, les auteurs tablaient sur un taux de rendement de 10 % et une réduction de moitié de la demande énergétique mondiale[38]. En juillet de la même année, Le MGI a publié un second rapport sur la réduction de la demande globale en énergie[39].

À ces publications estampillées McKinsey se sont ajoutés plusieurs articles et éditos dans des revues spécialisées et la presse généraliste (*New York Times*, le *Time magazine*, *Newsweek*)[40]. En novembre 2008, par exemple, Diana Farrell, la directrice du MGI, a signé un article dans *Newsweek* sur « l'efficacité énergétique comme mesure simple de la révolution des énergies vertes » et le rôle central des entrepreneurs et capital-risqueurs dans la transition bas carbone. En parallèle, les consultants de McKinsey ont multiplié les apparitions et interventions publiques. The Climate Group, une ONG britannique proche des milieux d'affaires et du gouvernement travailliste, a notamment joué un rôle clé de promotion de la firme et de ses travaux sur le climat en invitant des membres de la firme à intervenir lors d'événements organisés des deux côtés de l'Atlantique[41]. Ainsi, en avril 2007, Lenny

38. McKinsey Global Institute (2007), « Curbing Global Energy-Demand Growth. The Energy Productivity Opportunity », 1er mai.

39. Farrell, Diana, Scott S. Nyquist, et Matthew C. Rogers (2007), « Curbing the Growth of Global Energy Demand », *The McKinsey Quarterly*, juillet.

40. Walsh, Bryan (2008), « How to win the War on Global Warming », *Time Magazine*, 17 avril ; Wald, Matthew (2007), « Study details how U.S. could cut 28% of Greenhouse Gases », *loc. cit.* ; Farrell, Diana (2008), « McKinsey. Cutting Carbon won't cost much », *Newsweek*, 14 novembre.

41. Newell, Peter et Matthew Paterson (2012), *Climate Capitalism*, *op. cit.*, p. 30-31.

Mendonca et Diana Farrell du MGI ont participé, avec des dirigeants d'entreprise et des représentants politiques, à une discussion sur l'économie du changement climatique avec Nicholas Stern, l'auteur du « Stern Review » évoqué plus haut[42]. À chacune de leurs interventions, les consultants McKinsey ont mobilisé la courbe des coûts et positionné un peu plus la firme en tant que spécialiste du climat.

Infiltrer

Ces efforts de légitimation de la firme et de promotion de la courbe ont été accompagnés d'un travail de rapprochement avec de grandes ONG environnementales et des décideurs politiques, qui ont agi comme de précieux relais pour faire connaître le travail de McKinsey. C'est particulièrement vrai aux États-Unis, où certaines grosses ONG vertes ont entretenu des liens étroits avec le monde de l'entreprise et se sont montrées particulièrement réceptives aux approches managériales promues par la firme. Cet alignement stratégique et idéologique a permis à certains consultants de sauter le pas et d'occuper des postes de direction au sein d'ONG probusiness comme le Nature Conservancy, Environmental Defense ou le NRDC. C'est par exemple le cas de Richard (« Rick ») Duke, un consultant McKinsey basé au New Jersey. En 2007, il a coordonné le travail sur la courbe des coûts pour les États-Unis ; courbe qui fut publiée fin 2007 à la demande, entre autres, de Shell, de Environmental Defense et du NRDC. Au lendemain de sa publication, Duke a pris la tête d'une nouvelle structure rattachée au NRDC, le Center for Market Innovation (CMI) dont l'objectif était de promouvoir, en partenariat avec le monde de l'entreprise, les solutions de marché et les technologies bas carbone. À la tête du CMI, Duke a intégré deux anciens consultants de la firme : Carter Bales et Jack

42. The Climate Group (2007), « The Climate Group holds Economics Briefing with Sir Nicholas Stern in California », 2 avril.

Stephenson[43]. Comme Duke, Bales et Stephenson avaient travaillé sur la courbe des coûts. Ancien directeur au bureau new-yorkais de la firme (qu'il avait quittée en 1998), Carter Bales a participé brièvement aux activités environnementales nord-américaines de McKinsey. En 2007-2009, et alors qu'il dirigeait une société d'investissement privée, il travaillait comme conseiller spécial sur les questions environnementales, notamment sur les forêts (voir chapitre 2). De son côté, Jack Stephenson avait piloté au début des années 2000, avec Nick Lovegrove, les réflexions internes autour de l'engagement sociétal de la firme.

L'évolution du contexte politique américain a favorisé ces rapprochements de la firme avec les grandes ONG environnementales nord-américaines. La probable victoire de Barack Obama et son positionnement très clair en faveur du climat ont incité McKinsey à s'investir davantage dans le débat environnemental et climatique national. Plusieurs consultants étaient membres, à titre individuel, de *think-tanks* proches de l'aile la plus centriste du parti démocrate, tels que le Center for American Progress (CAP) ou la Brookings Institution. Lors de la campagne de 2008, certains se sont engagés à titre individuel en faveur d'Obama[44].

Une fois Obama élu, plusieurs consultants ou ex-consultants ont intégré la nouvelle administration. En 2009, la directrice du MGI, Diana Farrell, fut nommée directrice adjointe du Conseil économique national (NEC), puis directrice adjointe à la Politique économique du président. La même année, Richard Duke a quitté le CMI pour rejoindre le département de l'Énergie en tant que sous-secrétaire adjoint à la politique climatique. En 2012, il est devenu directeur assis-

43. Center for Market Innovation (2007), « Our Team », Natural Resources Defense Council, site internet archivé et accessible sur le Internet Archive: https://web.archive.org/web/20071230120916/http://marketinnovation.org.

44. Ce fut par exemple le cas d'Eric Beinhocker qui, de septembre 2007 à novembre 2008, a coprésidé le Comité de campagne sur l'innovation, l'entrepreneuriat et les emplois d'avenir et agi comme conseiller économique du candidat et futur vainqueur de la présidentielle.

tant pour l'Énergie et le Climat à la Maison-Blanche, où il a participé aux négociations sur l'accord de Paris. Plus récemment, et suite à la victoire de Joe Biden, il a repris du service auprès de John Kerry, l'envoyé spécial pour le climat de l'actuel président américain. À son arrivée au département de l'Énergie, Duke a été rejoint par un autre consultant de la firme, Matt Rogers. En 2007 et 2008, ce dernier était également impliqué dans la rédaction de la courbe des coûts pour les États-Unis. En 2009, Rogers a été nommé conseiller spécial[45] en charge de la gestion des 35 milliards de dollars accordés au département de l'Énergie dans le cadre du plan de relance et destinés à financer l'innovation énergétique, et en particulier les énergies propres. Avant de rejoindre l'administration Obama, Rogers était l'un des directeurs du bureau californien de la firme à San Francisco ; bureau dont la liste des clients comporte plusieurs capital-risqueurs et entrepreneurs de la Silicon Valley qui, comme le soulignent plusieurs articles de presse, allaient grandement bénéficier du plan de soutien fédéral piloté par Rogers[46]. Fin 2010, Rogers a retrouvé son poste (et ses clients) chez McKinsey.

Duke, Beinhocker, Farrell, Rogers et tant d'autres ont permis à McKinsey de tisser des liens étroits avec l'administration Obama ; liens que la firme n'a pas hésité à mobiliser dans les mois ayant précédé la COP15. Par ailleurs, et comme l'illustre le cas Rogers, les politiques promues au sein de l'administration étaient souvent très favorables aux entrepreneurs et investisseurs de la tech, véritable pierre angulaire du capitalisme vert. Enfin, le cas états-unien est révélateur

---

45. Ce qui, de l'aveu même de Steven Chu, le secrétaire à l'Énergie, évite de passer par un Senate Hearing pour confirmer le poste. McMahon, Jeff (2021), « Steven Chu's 5 Tips For New Energy Sec. Jennifer Granholm. Lead with Questions, find a Watering Hole… », *Forbes*, 1er mars.

46. Hastings, Michael (2012), « Obama Official was like "a Hooker dropped into a Prison Exercise Yard" », *BuzzFeed*, 18 juillet ; Leonnig, Carol (2011), « Investors, Federal Officials. Energy Department was Careless with Taxpayer Money », *The Washington Post*, 4 octobre ; Task, Aaron (2011), « Peter Schweizer. Solyndra is "Tip of the Iceberg" of "Very Suspicious" Govt. Loans », Yahoo!Finance, 18 novembre.

de l'ambition plus profonde des consultants McKinsey engagés sur le climat. Il ne s'agissait pas uniquement de vendre leur courbe des coûts ; il fallait aussi peser sur le débat climatique et orienter les discussions censées déboucher sur un nouvel accord international. En d'autres termes, la courbe des coûts n'a jamais été une fin en soi.

En amont de la COP15, et compte tenu de son importance, il était donc logique que les membres du CCSI s'impliquent dans le processus climatique onusien. Cette incursion à l'international était d'autant plus attendue que la courbe des coûts avait rencontré un franc succès. Comme l'explique ce consultant de la firme, en quelques mois, « McKinsey s'est transformé en leader d'opinion en matière d'économie du climat[47] ». La présence de huit consultants McKinsey, dont Jeremy Oppenheim, à la COP13 de Bali en décembre 2007 témoignait d'une volonté de s'impliquer dans le processus interétatique de négociations en vue de la COP15. La courbe des coûts était une voie d'entrée à la CCNUCC mais elle n'était pas suffisante. Sans contrat ni argent pour travailler sur la COP15, les consultants McKinsey n'avaient pas les moyens de leur ambition. Comme souvent chez McKinsey, c'est un ancien de la firme qui a débloqué la situation.

« Pitch me ! »

« Tout a commencé autour de quelques pintes de Guinness dans un bar à San Francisco. » C'est par cette anecdote qu'Andreas Merkl évoque la genèse du Project Catalyst, une initiative McKinsey – dont le budget s'élevait à plusieurs dizaines de millions de dollars – créée en vue de la COP15 à Copenhague. La scène s'est déroulée en 2006. Merkl prenait un verre avec Eric Heitz, le directeur et cofondateur en 1991 de la Energy Foundation, basée à San Francisco et très impliquée dans les débats climatiques et énergétiques. « Eric m'a

47. McKinsey and Company (2017), « A Revolutionary Tool for cutting Emissions, Ten Years On », 21 avril.

dit : “Tu sais quoi Andreas ? Je n’arrive pas à comprendre pourquoi la philanthropie ne met pas d’argent dans le climat. Je dirige la Energy Foundation et j’ai tellement de mal à collecter des fonds. Il y a pourtant des milliards de dollars ici dans la Bay Area.” Et donc j’ai dit : “Fais-moi un *pitch* Eric ! Fais comme si j’étais Lucas Walton (milliardaire philanthrope et héritier de la fortune Walmart, le géant américain de la grande distribution) et fais-moi un *pitch* !” Et donc il a commencé à me faire le *pitch* et au bout de cinq minutes on a éclaté de rire parce que c’était le truc le plus intello [*nerdy*] et bancal jamais entendu ! C’était comme… il n’arrivait juste pas à le faire ! Il s’est tout de suite mis à jargonner. Et donc il m’a dit : “Est-ce que je peux t’embaucher pour développer un *pitch* à présenter aux fondations ?” » À ce moment précis, ni Heitz ni Merkl ne savent que leur discussion autour d’un verre va permettre à McKinsey de s’immiscer au cœur du processus de négociations internationales… et, en cours de route, lui rapporter plus de 40 millions de dollars.

À l’époque, Merkl travaillait pour California Environmental Associates (CEA), une société de conseil spécialisée sur les questions environnementales et dont les clients étaient les directeurs de fondations, d’ONG et d’organisations multilatérales aux États-Unis et à l’international. Une sorte de mini-McKinsey écolo en somme. Avant CEA, Merkl avait travaillé pour une autre société de conseil environnementale californienne, CH2M Hill, où il s’occupait de la gestion des risques environnementaux. Merkl était aussi (et surtout) un ancien de McKinsey. De 1989 à 1995, il y avait travaillé au bureau de San Francisco. Après un bref passage au bureau d’Amsterdam en 1992, il était revenu à San Francisco pour fonder, avec une poignée d’autres consultants, la branche nord-américaine du Environmental Practice, avec le succès mitigé que l’on sait. Après son départ, il avait continué à entretenir des liens étroits avec la firme. En ce sens, Merkl, en bon ancien de McKinsey, représentait une voie d’accès pour le CCSI vers la très « exclusive » philanthropie environnementale californienne, les ultra-riches de la tech et de la finance qui la sous-tendent, et leur vision particulière de l'enjeu climatique (discutée dans le chapitre 1).

De son côté, Eric Heitz est une figure importante de la scène écolo de la Bay Area. En tant que président et cofondateur de la Energy Foundation (EF) avec un autre philanthrope climatique, Hal Harvey, il faisait la jonction entre les entrepreneurs de la tech et les capital-risqueurs des côtes ouest et est des États-Unis, et les acteurs de terrain engagés dans le déploiement de technologies et politiques bas carbone. Surnommée « la plus grosse fondation dont tu n'as jamais entendu parler », EF est l'archétype de la « philanthropie stratégique » appliquée à l'enjeu climatique[48]. Cette « fondation de fondations » a été fondée pour attirer les dollars philanthropiques (et en particulier ceux de la Silicon Valley) vers les initiatives et projets à plus fort « retour social sur investissement ». Ingénieurs de formation, Heitz et Harvey sont des disciples du « gourou de l'efficacité énergétique[49] » et de la cleantech Amory Lovins. Entre 1986 et 1989 et à sa sortie de Stanford, Harvey a côtoyé Lovins au Rocky Mountain Institute (RMI), le *think-tank* fondé avec son ex-femme, Hunter, à quelques encablures de la très prisée station de ski de Aspen dans le Colorado.

Conçu pour gagner

En août 2007, et avec l'aide de collègues du CEA et de chercheurs au Stockholm Environment Institute (SEI), Merkl a publié le rapport « Design to Win. Philanthropy's Role in the Fight Against Global Warming ». Sponsorisé par six fondations (pour l'essentiel californiennes), ce rapport a entraîné un déversement sans précédent de fonds philan-

48. Wei-Skillern, Jane (2012), « The Biggest Foundation you've never heard of », *Alliance Magazine*, 1er décembre.

49. Vidal, John (2022), « Energy Efficiency Guru Amory Lovins. "It's the largest, cheapest, safest, cleanest way to address the crisis" », *The Guardian*, 26 mars.

thropiques vers l'enjeu climatique. Pensé pour être le pendant philanthropique du rapport Stern et du quatrième rapport d'évaluation du GIEC de 2007 : « Design to Win » identifiait une série de politiques, secteurs aires géographiques prioritaires pour stabiliser les émissions de gaz à effet de serre au niveau mondial. Il a littéralement servi de « feuille de route pour guider les stratégies d'investissement des fondations qui le sponsoris[ai]ent et de la communauté philanthropique dans son ensemble[50]. » Tout en mettant l'accent sur l'avantage comparatif des fondations – et donc des ultra-riches qui les animent – par rapport aux gouvernements et aux grandes entreprises, le rapport fixait un objectif ambitieux – réduire les émissions [annuelles] de trente gigatonnes d'ici à 2030 – et proposait une stratégie pour l'atteindre. Par ailleurs, il identifiait une série de secteurs – énergie, industrie, construction, transport, forêts – et d'aires géographiques – États-Unis, Chine, Inde, Europe et Amérique latine – à fort potentiel où concentrer les investissements philanthropiques. Une attention particulière y était accordée à l'efficience énergétique et aux énergies renouvelables, ainsi qu'à des options plus controversées comme la capture et le stockage de carbone. Les auteurs appelaient aussi à la mise en place de systèmes de plafonnement et d'échanges (*cap and trade*) pour « aider à stimuler l'innovation et les marchés de technologies vertes nécessaires au succès à long terme[51] ». Bien que McKinsey n'ait pas directement participé à la rédaction du rapport, des échanges ont eu lieu entre Merkl et certains membres du CCSI durant sa rédaction. La courbe des coûts McKinsey est d'ailleurs référencée dans le rapport.

Début 2008, la publication du rapport a impulsé le lancement d'une nouvelle « fondation de fondations », semblable à EF mais active au niveau mondial : ClimateWorks.

---

50. Nisbet, Matthew (2011), *ClimateShift. Clear Vision for the Next Decade of Public Debate*, Washington, American University, p. 33.

51. CEA (2007), *Design to Win. Philanthropy's Role in the Fight Against Global Warming*, San Francisco, CEA, 1er août.

Une poignée de fondations, dont les fondations Hewlett et Packard, se sont engagées à verser plus de 1 milliard de dollars à la nouvelle entité. Du jamais vu dans l'histoire de la philanthropie américaine. Dirigé par Harvey, ClimateWorks avait comme mission de mettre en œuvre les préconisations contenues dans « Design To Win ». Pour ce faire, elle s'est notamment appuyée sur un réseau de fondations régionales, elles aussi financées par Hewlett et consorts, parmi lesquelles l'antenne chinoise de EF et la Fondation européenne pour le climat (ECF)[52], fondée fin 2007 et dirigée par Jules Kortenhorst, un ancien consultant de… McKinsey. Merkl a intégré ClimateWorks en tant que directeur des activités internationales en 2008.

Project Catalyst

L'un des principaux enjeux au cours des mois qui ont séparé la publication de « Design to Win » et le lancement de ClimateWorks concernait la stratégie à adopter par les fondations en vue de la COP15 à Copenhague. Dans un premier temps, Merkl s'est rapproché de plusieurs acteurs des négociations internationales : « On a commencé à parler à tous ces négociateurs et, en gros, ils nous disaient […] : "On a besoin d'analyses. On ne sait pas ce que ça va nous coûter. On ne sait pas comment les coûts diffèrent entre pays. On ne sait pas à quoi pourraient ressembler les options à négocier en matière de finance climat entre le Nord et le Sud. On ne sait pas quelle est la faisabilité de la croissance verte. On ne sait pas quelles sont les priorités en matière d'atténuation et comment les mettre en œuvre. On ne sait pas ce qu'est la véritable histoire concernant les forêts." Ils avaient besoin d'une tonne d'analyses. » Une fois les besoins identifiés, Merkl a sollicité ses anciens collègues du bureau McKinsey de San Francisco. Ces derniers l'ont mis rapidement en relation avec Jeremy

52. ECF qui, comme nous l'avons vu dans le chapitre 1, avait été cofondée par George Polk.

Oppenheim de la CCSI et Jules Kortenhorst de la Fondation européenne pour le climat. Ensemble, et avec l'aide d'autres membres de la firme, ils ont imaginé Project Catalyst, qui visait à fournir des analyses « aux gouvernements et à leurs équipes de négociateurs » afin d'« atteindre les objectifs de Copenhague »[53]. Leur idée a été présentée aux fondations, qui ont accepté de financer l'initiative et de l'intégrer aux activités de ClimateWorks. Un ancien consultant qui a participé aux discussions avec les fondations, rappelle ainsi qu'elles « ont fait un gros pari et mis des sommes considérables sur la table[54] ». Les montants furent effectivement conséquents, même pour les standards McKinsey, pourtant réputés exorbitants. Entre 2008 et 2012, près de 42 millions de dollars furent ainsi reversés par ClimateWorks à la firme, un montant qui, comme le raconte un autre consultant, « en faisait le plus gros client de McKinsey à l'époque. C'était gigantesque[55] ». Avec de tels moyens à leur disposition, Oppenheim, Merkl et Kortenhorst pouvaient voir les choses en grand.

Bien que se présentant comme une simple « machine à réponses » pour négociateurs, Project Catalyst, officiellement lancé en mai 2008, était en réalité porteur d'une vision particulière de la transition bas carbone, de l'architecture du futur accord et de la gouvernance internationale du climat. Sans surprise, et s'appuyant sur ses courbes des coûts, le « Project » prônait une approche centrée sur l'innovation et les acteurs privés comme principaux moteurs de la transition. S'agissant de l'architecture de l'accord, il plaidait en faveur d'un objectif global ambitieux de réduction des émissions à long terme qui incluait les pays en développement, un cadre institutionnel flexible à base d'engagements volontaires et un système de revoyures périodiques pour que les États revoient leur niveau à la hausse dans le temps. Pour financer

53. Project Catalyst (2008), « About Project Catalyst », document interne daté du 9 mai.

54. Entretien avec l'auteur.

55. Entretien avec l'auteur.

les efforts d'atténuation et d'adaptation, en particulier dans les pays les plus vulnérables, Project Catalyst favorisait les mécanismes de financement innovants, et notamment de marché. Ses maîtres-mots étaient « flexibilité », « engagements volontaires », « marchés » et « acteurs économiques privés ». Selon un expert interrogé, « le sobriquet donné au Project Catalyst était "Project Capitalist". C'était très néolibéral[56] ». En bref, l'accord sur le climat prôné par McKinsey à travers le « Project » était en phase avec les positions de nombreux acteurs clés du débat climatique international de l'époque.

C'est plutôt du côté de la stratégie mise en œuvre pour le réaliser que McKinsey a rompu avec les pratiques qui dominaient jusque-là. En effet, Project Catalyst a adopté une approche élitiste et ciblée fondée sur l'idée que seules les élites politiques et économiques disposaient du pouvoir et de l'influence nécessaires pour susciter un changement. En mobilisant des individus sur la seule base de leur expertise ou de leur pouvoir d'influence supposés, le « Project » a débordé du cadre interétatique onusien et s'est posé en arène alternative – voir dissidente – de négociation ; une arène à la fois plus fermée et plus ouverte que la CCNUCC. Plus fermée car centrée sur un nombre limité d'acteurs considérés comme essentiels pour aboutir à un accord. Plus ouverte car elle incluait des acteurs non étatiques – entreprises, grandes ONG, *think-tanks*, fondations – qu'elle traitait sur un pied d'égalité avec les représentants de gouvernements. Au processus onusien porté par les États » (*party-led process*), Project Catalyst a substitué un processus porté par les élites et dominé par les puissances de l'argent.

Concrètement, et en parallèle des négociations onusiennes, l'équipe du « Project » a rassemblé pas loin de cent cinquante personnes – représentants de gouvernements, d'organisations multilatérales et de multinationales, scientifiques et experts triés sur le volet – qu'elle a réparties en six groupes thématiques – atténuation, adaptation, technologie, forêts,

56. Entretien avec l'auteur.

finance et plans de croissance climato-compatibles. Le but était de réfléchir aux différents aspects d'un nouvel accord. Plusieurs recommandations de Project Catalyst ont été intégrées dans le texte de négociation. Comme le raconte l'un des participants, « plusieurs idées sont sorties du Project Catalyst. [...] Le "paquet financier" de 100 milliards, les plans de croissance bas carbone, le système de revoyure... Et plein d'autres choses encore...[57]. »

La structuration de Project Catalyst sous forme de forum pour élites climatiques peut laisser croire que les consultants de McKinsey n'ont joué qu'un rôle secondaire et d'appui aux experts, négociateurs et leaders en tout genre invités à participer aux groupes de travail. Lorsqu'on les questionne sur leur rôle, ils insistent d'ailleurs sur le fait qu'à travers leurs analyses et données chiffrées, ils n'ont fait que nourrir les discussions et créer les conditions d'un dialogue constructif. Pourtant, et comme nous l'avons vu avec la courbe des coûts, en se focalisant sur certains indicateurs, secteurs, aires géographiques, politiques publiques et technologies, McKinsey a contribué de fait à orienter le débat et à promouvoir une vision techniciste et faussement dépolitisée de l'enjeu climatique ; une vision qui fait la part belle aux acteurs privés, dévalorise l'interventionnisme étatique – ou du moins promeut un certain type d'interventionnisme axé sur la collectivisation du risque et la privatisation du profit – et ignore volontairement les questions de justice et de réparations.

La distinction entre activité de soutien et participation active au processus de négociations n'est pas aisée. Plusieurs épisodes tendent d'ailleurs à appuyer l'idée que McKinsey était au cœur du réacteur qui a fini par exploser à Copenhague. En ce sens, la présence de consultants McKinsey dans les délégations nationales lors des COP et séances de négociations – Papouasie-Nouvelle-Guinée, Guyana – n'est pas anecdotique. En tant que délégués nationaux, Jeremy

57. Entretien avec l'auteur.

Oppenheim, Jens Riese et Eric Beinhocker avaient accès aux coulisses des négociations. Mais, indépendamment de leur niveau d'accès, les consultants de McKinsey, comme nous l'ont raconté plusieurs personnes interrogées pour ce livre, ont été directement mêlés au fiasco de Copenhague. Project Catalyst constituait la partie visible d'une diplomatie parallèle et indépendante du cadre interétatique onusien. Les consultants de McKinsey ont été notamment accusés d'avoir contribué au fameux « texte danois », un projet d'accord porté par le Premier ministre danois et développé parallèlement au processus de la CCNUCC avec une poignée d'autres gouvernements[58]. Justifié par la lenteur des négociations, le « texte danois » a marqué une rupture symbolique avec l'approche traditionnelle fondée sur la construction d'un consensus avec l'ensemble des pays signataires à la CCNUCC. Son dévoilement par la presse en pleine COP15 a soulevé l'indignation de nombreuses ONG et pays en développement, et précipité l'échec des négociations à Copenhague[59].

L'après-COP15

L'échec de Copenhague a laissé des traces au sein du « Project » et des équipes climat de McKinsey. Pour beaucoup, ce fut un véritable traumatisme. Comme l'explique un consultant, « il y avait beaucoup d'amertume et les gens étaient épuisés[60] ». À cela s'est ajouté un tarissement des fonds philanthropiques. L'échec de la COP15, et par ricochet de Project Catalyst, a décrédibilisé McKinsey aux yeux de certains acteurs philanthropiques. D'un autre côté, des interrogations plus larges sur l'intérêt de s'engager dans le processus onusien se sont fait jour. Malgré l'échec du « Project » et le tarissement des

---

58. Meilstrup, Per (2010), « The Runaway Summit. The Background Story of the Danish Presidency of COP15, the UN Climate Change Conference », *Danish Foreign Policy Yearbook*, p. 113-135.

59. Vidal, John (2009), « Copenhagen Climate Summit in Disarray after "Danish Text" Leak », *The Guardian*, 8 décembre.

60. Entretien avec l'auteur.

fonds, Oppenheim et consorts sont très vite retombés sur leurs pieds. La courbe des coûts et Project Catalyst avaient profondément impacté le débat climatique international et, comme l'explique une figure historique du débat, avaient créé une « compréhension commune » de ce qui était possible et nécessaire en matière de gouvernance et d'action climatiques[61]. Nous l'avons vu, à travers leurs efforts (y compris avortés), les consultants McKinsey ont imposé des idées et principes qui seront repris et intégrés à l'accord de Paris en 2015.

Copenhague a paradoxalement offert de nouvelles opportunités pour les consultants de la firme, notamment en matière d'assistance aux gouvernements du Sud pour le développement de leurs plans de développement bas carbone. Avec l'appui initial de ClimateWorks, plusieurs consultants McKinsey ont rejoint les rangs du Global Green Growth Institute (GGGI), une nouvelle organisation internationale censée promouvoir la croissance verte dans les pays du Sud. En 2013, la presse danoise a accusé le GGGI d'avoir accordé, directement ou indirectement, des centaines de milliers de dollars de fonds publics à McKinsey dans le cadre de contrats de conseils, et ce, au détriment d'autres prestataires[62]. Comme l'a dit Christian Bjørnskov, professeur d'économie à l'université d'Aarhus, « ça sent très fort le conflit d'intérêts[63] ». Cette nouvelle déconvenue n'a pas empêché Oppenheim et les autres de continuer à s'imposer comme des leaders d'opinion écoutés et respectés dans la période ayant suivi la COP15. Ils intervenaient régulièrement dans les médias et lors d'événements « de haut niveau » et participaient en tant qu'experts extérieurs à différents projets et initiatives sur le climat. En 2011, Oppenheim a ainsi pris la tête de la Global

61. Entretien avec l'auteur.

62. Frølich, Troels Gadegaard et Lasse Skou Andersen (2013), « Scandal-Ridden GGGI in "Unhealthy Relationship" with McKinsey », *Information*, 29 novembre.

63. *Ibid.*

Commission on the Economy and Climate, un projet financé, entre autres, par le Royaume-Uni, la Norvège et la Suède, et dont le but était de produire un « nouveau rapport Stern » sur l'économie du changement climatique.

Interpréter l'échec

Dans la période qui a précédé Copenhague, McKinsey, par le biais de sa courbe des coûts et Project Catalyst, a œuvré à un effort plus large de normalisation du capitalisme vert au sein de l'espace onusien de négociations climatiques. La firme a posé les bases d'un nouveau mode de gouvernance du climat, qui finira par s'imposer lors de la COP21 à Paris. Un mode de gouvernance qui met au premier plan les acteurs privés (et accessoirement clients de McKinsey) – entreprises, investisseurs privés –, et qui « normalise » l'idée que la décarbonation de nos sociétés n'est pas seulement nécessaire du point de vue environnemental mais souhaitable du point de vue économique, et qu'elle passera invariablement par plus de marché et plus de technologie.

Mais, comme nous le verrons dans le prochain chapitre, cette focalisation sur les élites et sur le processus climatique onusien a également montré ses limites. L'une des principales leçons de Copenhague est que remporter l'adhésion des élites économiques et des négociateurs onusiens ne suffit pas. Les milliers d'activistes qui ont manifesté dans les rues de Copenhague pour dénoncer le projet d'accord et leur résonance médiatique ont montré que l'interprétation de l'accord était aussi importante que l'accord lui-même. Pour réussir à normaliser le capitalisme vert, il fallait impérativement contrôler le discours et emporter une adhésion plus large : celle des médias, des scientifiques, des ONG et des mouvements. Et à défaut de l'emporter, il fallait l'imposer et faire taire les voix dissonantes. L'heure des communicants et des experts en relations publiques était arrivée.

4

Make our blabla great again

Dernière journée de négociations à la COP21. Il est midi au centre de conférences du Bourget. Dans une salle bondée et face à près de deux cents journalistes – certains debout, d'autres assis à même le sol –, cinq climatologues de renom s'apprêtent à prendre la parole pour commenter le brouillon d'accord qui circule dans les couloirs depuis la veille[1]. Un point du texte intéresse tout particulièrement les journalistes : l'inclusion de l'objectif de 1,5 °C. Aux yeux de certains, il s'agit avant tout d'un objectif politique permettant de rallier les pays les plus vulnérables, et en particulier les pays insulaires, à un accord qui, par ailleurs, favorise les plus gros pollueurs. L'avis des scientifiques est donc crucial. La crédibilité de l'accord est entre leurs mains.

Hors du champ des caméras et de la portée des micros, des acteurs discrets mais essentiels retiennent leur souffle : les experts en communication et en relations publiques qui s'activent depuis des années pour faire en sorte que le « moment COP21 » soit perçu non seulement comme une réussite diplomatique mais aussi médiatique. Travailleurs indépendants, salariés d'ONG, de *think-tanks* ou d'agences spécialisées comme Fenton Communications, Holdfast Communications, Climate Nexus, Greenhouse Communications, Climate Outreach ou encore le Energy and Climate Intelligence Unit (ECIU), tous

1. Gaffney, Owen (2016), « A Historic Summit with Reservations. Reflections on COP21 », *FuturEarth*, 6 janvier.

participent à un effort plus large et coordonné de structuration et d'orientation du récit climatique. Regroupant une forte proportion d'anciens journalistes et de communicants professionnels issus du privé, la communauté des communicants climatiques s'active non seulement à la mise à l'agenda de l'enjeu climatique mais également à la « normalisation » de certaines solutions technologiques et de marché[2]. Ils se réclament d'une même expertise professionnelle quant à la manière d'influencer l'opinion et les politiques publiques. En ce sens, et bien qu'ils s'en défendent, ils sont des acteurs du débat à part entière[3]. En effet, la communication stratégique n'est pas neutre. En visant certains publics, en promouvant certains cadrages et messages plutôt que d'autres, elle est un « système de gestion de l'information » qui, en s'évertuant à bâtir un consensus, favorise « une acceptation ou un accommodement avec les structures et politiques existantes ». Elle participe à la circulation, à l'incorporation et à l'institutionnalisation de valeurs et croyances particulières autour de l'enjeu climatique, « axées sur des approches volontaires, stratégiques et entrepreneuriales »[4].

Rassemblant une petite centaine d'experts en communication répartis dans une quinzaine de pays[5], le Global Strategic Communications Council (GSCC) était au cœur de l'effort international de construction de l'accord de Paris. Se présentant comme « un réseau d'experts en communication politique avec l'objectif [d']aiguiller le monde vers une voie bas carbone », ce réseau discret et sans étiquette travaille à l'alignement et à la coordination des efforts en communication pour « forger le discours public » et « créer les récits nationaux

---

2. Aronczyk, Melissa et Maria Espinoza (2021), *A Strategic Nature. Public Relations and the Politics of American Environmentalism*, Londres, Oxford University Press, p. 134.

3. Aronczyk, Melissa (2022), « How PR Firms captured the Sustainability Agenda », *Foreign Policy*, 17 février.

4. Aronczyk, Melissa et Maria Espinoza (2021), *A Strategic Nature*, *op. cit.*

5. États-Unis, Japon, Chine, France, Royaume-Uni, Belgique, Turquie, Inde, Australie, Indonésie, Brésil, Pologne, Allemagne, Canada.

et globaux dominants » sur le climat[6]. À l'image des réseaux et organisations précédemment évoqués, le GSCC regroupe essentiellement des professionnels de la communication et des relations publiques et d'anciens journalistes. À sa tête se trouve Tom Brookes, un ancien journaliste et directeur de relations publiques pour Apple et Microsoft, également passé par deux sociétés de conseil, Porter Novelli et GPlus Europe.

Avec l'appui financier des principales fondations philanthropiques actives sur le climat (voir chapitre 1), les membres du GSCC se spécialisent sur un pays/une région ou une thématique. Ils se mettent gracieusement au service d'acteurs nationaux et internationaux identifiés comme influents : représentants de grandes entreprises, gouvernements, institutions internationales, ONG, *think-tanks* et, bien sûr, scientifiques, auxquels ils prodiguent conseils et « éléments de langage ». Ils s'activent en outre auprès des journalistes pour les tenir « au courant des dernières nouvelles, histoires et rapports qui confirment le besoin d'une transition bas carbone ou qui offrent des solutions sur la manière d'accélérer cette transition ». Cela implique d'être « en contact direct avec les journalistes, d'organiser et diffuser des tribunes, et de mettre sur pied points presse ou réunions de comités éditoriaux »[7].

Afin de créer une « dynamique » autour de la COP21 et d'envoyer des « signaux » quant à l'inéluctabilité de la transition bas carbone, les communicants ont concentré leurs efforts sur une série d'« événements » mondiaux et nationaux : sommets du G7 et du G20, conférence de Rio + 20 (2012), en passant par l'adoption par la Chine de son nouveau plan quinquennal ou les rapports du GIEC. À chaque fois, ils ont cherché à coordonner et aligner les discours des différentes parties prenantes au cœur et à la marge du processus climatique onusien afin qu'ils aillent dans le sens de l'accord en cours de construction. Comme l'explique Christian Teriete,

---

6. GSCC (2017), document interne de présentation du réseau.
7. *Ibid.*

ancien communicant du Global Call for Climate Action (GCCA), cela passait par la mise en œuvre d'une stratégie dite « de la flottille » où, tout en donnant l'impression d'agir de façon autonome, les différents acteurs se dirigeaient tous dans la même direction[8].

Au cours des deux semaines de la COP de Paris, les communicants ont fait pression sur les scientifiques, les ONG et les journalistes pour qu'ils soutiennent – ou du moins ne critiquent pas ouvertement – le texte en cours de négociation. Ils ont sommé les principaux acteurs non étatiques actifs dans l'arène climatique onusienne de « rester vigilants » et de « ne pas s'engager sur le terrain » des « idéalistes climatiques », « un mélange d'acteurs étatiques et non étatiques [...] frustrés par les faibles progrès accomplis [...] en termes de réductions d'émissions nécessaires et qui, pour certains, souhaitent que Paris intègre d'autres priorités de développement telles que l'accès à l'énergie et la lutte contre la pauvreté[9] ». Par « idéalistes climatiques », les communicants ciblaient notamment les groupes critiques à l'égard du cadrage dominant. Ils les plaçaient volontairement au même niveau que les deux autres adversaires identifiés : les « négationnistes » et les « réalistes », « principalement les entreprises fossiles [...] qui vont chercher à minimiser l'importance de l'accord de Paris[10] ».

À Paris, en amont du point presse des scientifiques évoqué plus haut, plusieurs communicants se sont employés à dissuader les scientifiques de critiquer le projet d'accord, quitte à les rendre ouvertement responsables d'un éventuel échec des négociations. Dans un échange tendu sur Twitter, Bob Ward, le directeur de la communication du Grantham Institute on Climate Change, s'en est ainsi pris à Kevin

---

8. Kylander, Nathalie et Christopher Stone (2011), *The Role of Brand in the Nonprofit Sector*, Cambridge, The Hauser Center for Nonprofit Organizations, p. 9.

9. Climate Briefing Service (2015), « CBS Briefing. Understanding who could undermine a Strong Agreement in Paris », 4 novembre.

10. *Ibid.*

Anderson et Alice Larkin, climatologues au Tyndall Centre de l'université de Manchester, en leur lançant qu'ils « ne pourraient pas s'exonérer des conséquences éventuelles de [leurs] déclarations négatives[11] ». Dénonçant le décalage entre la réalité scientifique et le niveau d'ambition du texte de négociation, Anderson faisait partie des voix ouvertement critiques à l'égard du projet d'accord. « Il y avait », se souvient-il, « un vrai malaise parmi de nombreux scientifiques présents. L'atmosphère quasi euphorique qui accompagnait la circulation des différents brouillons était en décalage complet avec leur contenu. Cherchant désespérément à maintenir l'ordre, un groupe de personnalités haut placées et de manipulateurs influents s'activaient en coulisse contre tous ceux qui osaient [critiquer le projet d'accord][12] ». Les communicants s'efforçaient de subordonner la science au politique, ou, tout du moins, à une certaine idée du rôle à jouer par la communauté scientifique dans l'accord à Paris. Alors que, par le passé, la science du climat, notamment dans le cadre du GIEC, se bornait à présenter les faits et exposer le problème, elle était désormais sommée de descendre de sa tour d'ivoire et de concourir à un « résultat positif » à Paris.

Jusqu'au dernier moment, les communicants ont fait pression sur les organisateurs afin qu'Anderson ne participe pas au point presse. En vain. Et comme prévu, Anderson n'y est pas allé de main morte : « Ce brouillon d'accord est moins ambitieux que celui de Copenhague. Le texte actuel n'est pas en phase avec les dernières estimations de la science. » Avant de poursuivre : « Pour les pauvres, particulièrement dans l'hémisphère Sud, ce texte, qui ne fait aucune référence aux énergies fossiles, se situe quelque part entre le dange-

11. Bob Ward (2015) (@ret_ward), « @aliceblarkin @KevinClimate I am afraid you cannot simply absolve yourselves of the potential consequences of your negative statements », publication Twitter, 11 décembre : https://twitter.com/ret_ward/status/675424388381036544.

12. Anderson, Kevin (2015), « Talks in the City of Light generate more Heat », *Nature*, 21 décembre.

reux et le mortifère[13]. » Mais il était bien seul. Les autres scientifiques présents étaient moins disposés à torpiller le projet. Les conseils prodigués par les communicants avaient, semble-t-il, produit leur effet. « Le texte ne rend pas opérationnel l'objectif de long terme », expliqua Hans Joachim Schellnhuber, directeur du Potsdam Institute for Climate Impact Research, avant d'ajouter que « la formulation qui limite le réchauffement entre 1,5 °C et 2 °C est en accord avec le GIEC ». Johan Rockström, le directeur du Stockholm Resilience Centre, s'est quant à lui félicité du fait que le texte de négociation « offre encore la possibilité d'un changement transformateur[14] ».

Les critiques d'Anderson n'ont évidemment pas suffi à faire dérailler la COP. Les médias et commentateurs se sont montrés quasi unanimes : l'accord de Paris était un « pacte historique[15] » et un « succès retentissant pour le multilatéralisme[16] ». Face à une machine parfaitement huilée, Anderson n'a simplement pas fait le poids. Les communicants, eux, ont réussi leur coup : contenir la parole scientifique et celle des autres acteurs clés du débat dans le cadre du processus de construction de l'accord, et donc dans celui du modèle de gouvernance du climat qui le sous-tend. Les signes de ce ralliement étaient déjà perceptibles avant la COP. Dans un texte publié dans *Nature*, Rockström conseillait ainsi aux scientifiques de « ne plus rejeter comme un échec un accord qui ne serait pas complètement conforme à la science du climat. Car, si Paris est largement interprété comme un échec, les leaders politiques risquent, une fois encore, de revivre le trauma climatique post-Copenhague et de privi-

---

13. Sinaï, Agnès (2015), « À la COP, des scientifiques pointent les incohérences de l'accord », *Actu-Environnement*, 11 décembre.

14. Nicholas, Kim (2015), « Top Scientists weigh in on Penultimate Draft of Paris Climate Agreement », www.RoadToParis.info, ICSU, 11 décembre.

15. Mufson, Steven (2015), « Historic Pact to Curb Emissions is Approved », *The Washington Post*, 13 décembre.

16. CCNUCC (2015), « Accord historique sur les changements climatiques à Paris », 12 décembre.

légier des enjeux plus urgents (et plus rentables politiquement)[17] ». Le fait qu'un scientifique de renom insiste autant sur l'interprétation de l'accord par les dirigeants politiques est révélateur de la centralité de la communication dans le débat climatique actuel, et de l'internalisation de cette centralité par les scientifiques eux-mêmes. Rockström et d'autres membres éminents de la communauté scientifique se sont pliés, de gré ou de force, à une stratégie collective et à une vision particulière de la transition bas carbone ; vision qui fait la part belle aux entreprises, aux investisseurs, aux innovations technologiques et aux mécanismes de marché.

Le « climategate » comme moment fondateur

Cette attention particulière à l'interprétation de la parole scientifique remonte à la COP15 de 2009, et en particulier au « climategate ». Cette affaire des courriels piratés de climatologues britanniques a éclaté au grand jour quelques semaines avant l'événement et, *via* la blogosphère climatosceptique, a semé la discorde à Copenhague. À l'époque, Tom Brookes était à la tête du Energy Strategy Center (ESC), une initiative hébergée et financée par la Fondation européenne pour le climat (ECF) qui s'efforçait déjà d'« offrir une direction et de la cohérence aux efforts de communication en matière de climat et d'énergie pour façonner un récit recadrant le débat et facilitant l'action[18] ». Il se souvient de cette affaire en ces termes : « Les poils à l'arrière de mon cou se sont hérissés, et j'étais là, genre : "Oh, ça sent mauvais ça. Ça va mal se passer." [...] Et effectivement ça s'est mal passé[19]. »

Pour Brookes et les autres communicants, l'urgence au lendemain de Copenhague était à la refonte complète

17. Rockström, Johan (2015), « A "Perfect" Agreement in Paris is not Essential », *Nature*, 25 novembre.

18. Signalons que Tom Brookes est également impliqué dans Project Catalyst (voir chapitre 3).

19. Wheaton, Sarah (2021), « The Climate Activists stealing Big Oil's Playbook », *Politico*, 9 novembre.

des stratégies de communication. Cette séquence, et plus largement l'échec retentissant de la COP15, a souligné les limites des stratégies existantes. L'échec de Copenhague ne fut pas tant un échec diplomatique qu'un échec communicationnel. C'était moins le cadrage de l'enjeu et les solutions proposées (voir chapitre 3) qui étaient en cause, que l'incapacité des principaux architectes de l'accord à contrôler le récit. « En focalisant leurs efforts sur les subtilités techniques », les artisans de l'accord – parmi lesquels les consultants de McKinsey – ont donné libre cours aux climatosceptiques, mais aussi aux critiques émanant des militants pour la justice climatique.

Selon Laurence Tubiana, la COP de Paris devait désormais être l'occasion de mieux « anticiper l'interprétation de l'accord » car « la parole fait autant le changement que l'accord lui-même »[20]. Pour créer les conditions d'un nouvel accord à Paris, il fallait s'extraire de la bulle onusienne et mobiliser « la société dans son ensemble, des progressistes aux conservateurs, de la gauche à la droite, des engagés aux désintéressés[21] » en produisant et en diffusant « des signaux clairs » quant à l'inéluctabilité de la transition bas carbone[22]. Cela passait nécessairement par une adaptation, voire une refonte, des stratégies de communication employées jusque-là.

Au lendemain de la COP15, on a ainsi assisté à une reprise en main complète de la communication scientifique. Désormais, la priorité n'était plus à la seule communication des faits scientifiques mais à la transformation de la science et des scientifiques en outils de communication au service d'un modèle de gouvernance particulier, qui, à son tour, reflète

---

20. Losson, Christian (2015), « L'accord doit être une prophétie autoréalisatrice », entretien avec Laurence Tubiana, *Libération*, 17 décembre.

21. Fondation européenne pour le climat (2011), *Vision 2020. A Synthesis Document on the Strategic Input of the ECF to the V2020 Process*, La Haye, ECF, p. 4.

22. Oberthür, Sebastian, Antonia G.M. La Vina, et Jennifer Morgan (2015), *Getting Specific on the 2015 Climate Change Agreement. Suggestions for the Legal Text with an Explanatory Memorandum*, Washington, ACT2015, p. 1.

une approche particulière de la transition bas carbone : le capitalisme vert. Du côté du GIEC, les communicants du GSCC et de Resource Media, une ONG californienne spécialisée, ont formé les scientifiques à « répondre aux médias ». En 2011, le GSCC s'est attelé à « rétablir la marque GIEC » et à « professionnaliser » sa communication[23]. En 2013 et 2014, ses consultants ont pris en charge les activités de communication autour du cinquième rapport d'évaluation (AR5). Ils ont coordonné les relations presse lors des lancements officiels et rédigé et diffusé une série de « comptes rendus exploitables », des notes de synthèse, des argumentaires et contre-argumentaires à destination des journalistes.

La communication et donc les communicants ont été au cœur de l'accord de Paris. En redéfinissant l'horizon normatif de la gouvernance climatique, il ne s'agissait plus, comme par le passé, « d'harmoniser les législations nationales ou d'établir des règles qui s'appliquent aux États[24] », mais de définir des « objectifs globaux devant être atteints par un mix d'engagements volontaires et de processus de *reviews* obligatoires[25] ». L'accord de Paris a marqué le passage vers un mode de gouvernance où les traités internationaux « apparaissent de plus en plus comme des outils stratégiques et performatifs dont la vocation n'est pas d'être appliqués à la lettre, mais d'influer sur les attentes et croyances des acteurs identifiés comme centraux[26] ». En étant axé à la fois sur un objectif global de température – 2 °C, voire 1,5 °C – et sur un mécanisme de contributions volontaires par les États et les entreprises, la production de récits enchanteurs, de « signaux » et de « momentum » est devenue un élément constitutif de ce

23. GSCC (2017), document interne, *op. cit.*

24. Zartman, William (1994), « International Multilateral Negotiations. Approaches to the Management of Complexity », San Francisco, Jossey-Bass, 1994, cité dans Stefan Aykut, « La "gouvernance incantatoire". L'accord de Paris et les nouvelles formes de gouvernance globale », *La Pensée écologique*, octobre 2017.

25. Aykut, Stefan (2017), « La "gouvernance incantatoire" », *loc. cit.*

26. *Ibid.*

nouveau « régime incantatoire » de gouvernance du climat[27]. Ces signaux et récits, on l'a vu, sont désormais envoyés aux décideurs politiques, aux entreprises, aux investisseurs et au grand public et insistent sur l'inéluctabilité de la transition bas carbone[28]. Comme l'a expliqué Laurence Tubiana au lendemain de la COP21, « l'accord de Paris [devait] être une prophétie autoréalisatrice ».

Copier l'ennemi

Les stratégies de communication déployées au lendemain de l'échec de la COP15 s'inspiraient de stratégies de communication déjà anciennes qui s'étaient forgées dans le cadre des grandes entreprises et avaient nourri les arguments des opposants à l'action climatique. Comme le reconnaît Brookes, le « climategate » a « clairement influencé » la stratégie du GSCC[29]. À partir des années 1960 aux États-Unis, dans un contexte national marqué par un intérêt croissant pour l'enjeu environnemental, les experts en communication et en relations publiques se sont mis au service des industries manufacturières et fossiles afin de promouvoir l'idée que les industries polluantes servaient l'intérêt général[30]. En lien avec des associations professionnelles, des scientifiques, des responsables gouvernementaux et des médias, ils ont créé et piloté plusieurs alliances de circonstance dans l'unique but de contrer des projets de lois ou de réglementations fédérales sur l'environnement[31]. Comme ils l'avaient fait pour l'industrie du tabac, les communicants ont produit et

27. Aykut, Stefan, Édouard Morena et Jean Foyer (2021), « "Incantatory" Governance », *loc. cit.*

28. Morgan, Jennifer, Yamine Dagnet et Dennis Tirpak (2014), *Elements and Ideas for the 2015 Paris Agreement*, Washington, ACT2015, p. 4.

29. Wheaton, Sarah (2021), « The climate activists stealing Big Oil's Playbook », *Politico*, 9 novembre.

30. Aronczyk, Melissa (2022), « How PR Firms Captured the Sustainability Agenda », *loc. cit.*

31. *Ibid.*

diffusé des « faits alternatifs » par le biais de scientifiques dociles, d'articles, de newsletters, de communiqués de presse, d'événements et « happenings » en tout genre. Ils ont lancé et conseillé des mouvements « astroturfs », des mouvements pilotés de manière artificielle pour donner un semblant de spontanéité et d'ancrage populaire à leurs revendications.

C'est dans ce contexte qu'une poignée de communicants « progressistes » a importé et adapté les méthodes employées par leurs homologues du secteur fossile et les a redéployées au service de la cause environnementale. Décrit dans la presse comme le « gourou des relations publiques de la gauche états-unienne[32] » et « le Robin des Bois de la com' », David Fenton a joué un rôle majeur dans l'importation et la diffusion des relations publiques et de la communication de masse dans le mouvement environnementaliste et le camp « progressiste » américain. C'est à la fin des années 1960, en pleine guerre du Vietnam et du Mouvement pour les droits civiques, qu'il a commencé sa carrière comme photoreporter au Liberation News Service (LNS), une agence de presse alternative proche de la *New Left* américaine. Par la suite, il est devenu chargé de relations publiques au magazine *Rolling Stone* (en 1978) et a coproduit, en septembre 1979, les concerts antinucléaires *No Nukes* à New York, quelques mois après l'accident de la centrale de Three Mile Island. Face au succès du reaganisme, Fenton a participé au virage « pragmatique » de la gauche « libérale » américaine en matière économique, à l'ouverture de sa base électorale aux « classes intermédiaires et professionnelles » et aux « classes créatives » des grands centres urbains des côtes est et ouest, notamment à travers l'intégration de nouveaux enjeux « sociétaux » comme l'environnement et le climat. Comme l'a écrit Linton Weeks, journaliste au *Washington Post*, Fenton « n'est pas la tête d'affiche des causes libérales ; c'est lui qui conçoit, produit et distribue les affiches[33] ».

---

32. Weeks, Linton (2007), « Putting the Progressive in PR », *Washington Post*, 31 mai.

33. *Ibid.*

En créant sa propre société de relations publiques, Fenton Communications, en 1982, David Fenton souhaitait « [mettre] les stratégies et tactiques des grosses entreprises de relations publiques au service d'organisations environnementales et de groupes d'intérêt public ». Sa clientèle se composait essentiellement d'ONG, de fondations, d'organisations et de personnalités politiques, ainsi que d'entreprises « socialement responsables ». Dans les années 1980 et 1990, Fenton comptait parmi ses clients le Parti travailliste britannique, Nelson Mandela, le Body Shop, Greenpeace et, au cours de la décennie suivante, le scientifique James Hansen ou encore Al Gore, avec lequel il entretient toujours des liens étroits. En 1994, il a cofondé l'ONG Environmental Media Services (EMS) avec Arlie Schardt, un ancien journaliste, activiste environnemental (Amis de la Terre, Environmental Defense Fund) et directeur de la communication des campagnes présidentielles d'Al Gore en 1988 et 2000. Spécialisée dans « l'élargissement de la couverture médiatique des enjeux environnementaux et de santé publique », EMS a alimenté les médias en « idées de sujets préemballés », en notes et commentaires, et en experts[34].

La frontière entre « pro » et « anti » climat s'estompe

En important les méthodes de la communication de masse au sein du mouvement environnemental, Fenton et les autres ont diffusé l'idée que la forme est autant, sinon plus, importante que le fond. Selon Fenton, la politique ne pouvait plus se définir par la bataille d'idées mais par « une bataille entre avocats et professionnels du marketing. [...] Les avocats croient que les faits et les arguments suffisent à régler les problèmes. Les professionnels du marketing savent que ce pays [les États-Unis] ne fonctionne plus comme ça[35] ». Se revendiquer des faits ne suffisait plus. Il

34. Environmental Media Services, site archivé (www.ems.org) accessible *via* le Internet Archive.

35. Greider, William (2010), *Who will tell the People. The Betrayal of American Democracy*, New York, Simon & Schuster.

fallait les vendre au plus grand nombre. Les consommateurs se sont substitués aux citoyens[36]. Cela passait notamment par la promotion de messages simples. « Nos adversaires », a expliqué Fenton, « ont des messages simples que nous utilisons tous. Nous, nous avons la complexité. Comment allons-nous gagner avec cela[37] ? » Le cerveau « n'absorbe que les messages simples et répétés[38] ». Cette simplification du message entraîne la dépolitisation de l'enjeu : on est soit « pour » ou « contre » le climat, « en faveur » ou « opposé » à l'action, « pro » ou « anti » science. Ce cadrage binaire a certes permis de populariser l'enjeu et de creuser un fossé entre ceux qui refusaient la science et ceux qui l'acceptaient, mais il a également eu pour double effet de favoriser le « greenwashing » en permettant à des entreprises climaticides de se dépeindre comme des acteurs « positifs » du débat, et d'étouffer toute velléité critique au sein du mouvement climat lui-même. Au lieu de clarifier les choses, la division binaire entre « pro » et « anti » a créé de la confusion ; une confusion qui a permis l'inclusion d'acteurs économiques aux activités dévastatrices pour la planète et l'exclusion de voix hostiles au capitalisme vert.

Initialement déployée pour contrer les discours climatosceptiques et négationnistes, la communication de masse a entraîné le ralliement d'intérêts économiques et financiers – y compris les entreprises fossiles – dès lors qu'ils adhéraient au cadrage dominant et à sa traduction concrète dans l'accord de Paris. Tout en fermant la porte à ceux qui s'obstinaient à nier les analyses scientifiques, les communicants ont ouvert la fenêtre à ceux qui étaient disposés à les accepter et à se ranger (à moindres frais) derrière le solutionnisme technologique, les engagements volontaires, et les mécanismes de marché. « Follow the science » est devenu un simple slogan, sans

---

36. Goldberg, Danny (2005), *How the Left lost Teen Spirit*, New York, RDV Books.

37. Fenton, David (2018), « Selling the Science of Climate Change », *ClimateOne*, 4 mai.

38. *Ibid.*

conséquences directes sur le modèle productif. En d'autres termes, on pouvait désormais se revendiquer « pro-climat » et continuer le *business as usual.* Du problème, les grandes entreprises polluantes – avec leurs chiffres d'affaires colossaux, leurs parts de marché, leurs compétences internes et leurs budgets en R&D – faisaient désormais partie de la solution.

Dès les années 1990, et dans un contexte de popularisation de l'enjeu climatique (notamment dans les sphères politiques), on a ainsi assisté à un glissement calculé et intéressé de plusieurs grandes entreprises, y compris des entreprises fossiles, vers le camp des « pro-climat ». D'opposants farouches, des entreprises comme Shell ou BP se sont « transformées », à grand renfort de spots publicitaires, en chantres de la science climatique et moteurs de la transition bas carbone. Appuyées par une armée de communicants, elles ont soutenu et participé à diverses initiatives, coalitions et plateformes, y compris avec des grandes ONG vertes (comme Environmental Defense ou le WWF). Elles ont créé des conseils consultatifs sur l'environnement et promu les normes volontaires RSE (Responsabilité sociale des entreprises). À la veille de la conférence de Rio (1992), et tout en restant membre du groupe de pression climatosceptique Global Climate Coalition, Shell a même produit un film documentaire, *Climate of Concern*, pour « [promouvoir] l'industrie pétrolière et les nouvelles technologies comme solutions les plus plausibles » à la crise climatique[39]. Bien avant *Une vérité qui dérange*, le documentaire d'Al Gore, Shell et les autres industriels climaticides avaient compris l'utilité des récits et de leur contrôle.

Tout en favorisant le verdissement d'acteurs économiques dont les activités et modèles de production sont contraires à la science du climat, la simplification du message orchestrée par les spécialistes en communication a aussi eu pour effet de marginaliser et décrédibiliser les voix critiques au sein du mouvement. Par la magie de la mise en récit, s'opposer au

---

39. Jacobson, Brian (2017), « Big Oil's High-Risk Love Affair with Film », *Los Angeles Review of Books*, 7 avril.

cadrage dominant et aux solutions proposées revenait désormais aussi à être « anti » climat. Comme nous l'avons vu, en s'interrogeant publiquement sur la pertinence et l'efficacité des solutions proposées, voire sur la compatibilité entre le système capitaliste et la transition bas carbone, on s'exposait aux accusations d'être des alliés objectifs des climatosceptiques. Nick Mabey, du *think-tank* E3G, l'a résumé dans un tweet rageur publié au lendemain de la COP21 : « Les climatosceptiques qui considèrent que Paris est trop faible sont du mauvais côté de l'Histoire[40]. »

Pour avoir un maximum d'impact, les messages devaient non seulement être simples mais associés à des histoires et jouer sur un registre émotionnel. Selon David Fenton, « les efforts de communication doivent toujours présenter à la fois la menace et la solution. La formule gagnante en termes de message sur cet enjeu c'est environ 2/3 d'espoir et 1/3 de peur – sans espoir, les gens se referment, et sans peur il n'y a pas d'urgence[41] ». Cette mobilisation des émotions (peur, urgence, espoir) a servi un peu plus à réduire le champ des possibles et à normaliser, voire à naturaliser, une approche particulière de l'enjeu climatique ; une approche qui a ouvert la porte aux entreprises climaticides et l'a fermée à ceux qui s'y opposaient. Tout comme la dichotomie « pro » *vs* « anti » climat, « l'urgence » a été mobilisée au nom d'une sorte « d'union sacrée » marginalisant les voix discordantes à l'intérieur du mouvement et a fait la part belle aux multinationales et acteurs de la finance. Les remises en cause du capitalisme vert n'avaient plus lieu d'être. Le temps était à l'unité et au rassemblement. « On a besoin de tout le monde », assénait ainsi Johan Rockström, y compris les « banquiers et les dirigeants d'entreprise [...] parce qu'il

---

40. Mabey, Nick (2015) (@MabeyTweet), « Climate Sceptics attacking Paris as being too Weak are on the Wrong Side of History », publication Twitter, 14 décembre.

41. Fenton, David (2014), « Gaps in Climate Communications », Communication personnelle, 15 octobre.

ne nous reste que dix ans pour réduire nos émissions de moitié. On ne peut pas changer le modèle économique en dix ans[42] ». L'écosocialisme attendra son tour. « Très honnêtement », nous explique Christiana Figueres, l'ancienne secrétaire exécutive de la CCNUCC et désormais pasionaria de l'action climatique, « les dix prochaines années sont vraiment cruciales et je ne crois pas que nous allons renverser le capitalisme[43] ».

Un capitalisme vert à visage humain

Pour incarner « l'espoir » et prêcher la bonne parole climatique, les communicants se sont appuyés sur une nouvelle catégorie d'acteurs censés incarner la transition bas carbone : les leaders et leadeuses d'opinion climatique. Comme l'a expliqué David Fenton : « Demandez à n'importe qui dans la rue "qui associez-vous au changement climatique ?" et vous n'aurez qu'une réponse : Al Gore. L'aspect négatif c'est que c'est la seule réponse que vous recevrez[44]. » Au lendemain de Copenhague, les communicants du climat se sont donc attelés à recruter et à former des nouveaux leaders qui auraient pour fonction d'occuper l'espace médiatique, de marteler encore et encore les mêmes messages simples et concis : Oui la menace nous guette. Oui la situation est catastrophique. Oui, l'urgence est là. Mais les solutions existent déjà, et elles sont portées par les grandes villes, les multinationales, les investisseurs et les milliardaires philanthropes. Ces leaders d'opinion sont une pièce maîtresse du régime de gouvernance climatique issu de la COP21. À tel point que le groupe de travail 3 du GIEC les mentionne – consécration suprême ! – dans

---

42. Watts, Jonathan (2021), « We need Bankers as well as Activists... we have 10 years to cut Emissions by Half », entretien avec Johan Rockström, *The Guardian*, 29 mai.

43. *The Economist* (2019), « Climate. Change. How much can individuals do? », *Babbage. The Economist Podcasts*, 18 septembre.

44. Fenton, David (2014), « Want Everyone to buy into Environmentalism? Never say "Earth" », *Grist*, 12 mai.

son dernier rapport technique. On peut ainsi y lire que « les influenceurs et leaders d'opinion peuvent favoriser l'adoption de technologies, de comportements et de modes de vie bas carbone (confiance élevée)[45] ».

Maires de grandes villes, capitaines d'industrie, investisseurs, gourous de la tech, milliardaires philanthropes, diplomates, anciens responsables politiques, acteurs hollywoodiens ou encore scientifiques, ils mettent leur capital culturel et symbolique, leur expérience et leur réussite professionnelle au service du capitalisme climatique en relayant un récit « positif » et mobilisateur. À la différence des « intellectuels publics » qui « baignent dans la complexité et la critique[46] », ces femmes et hommes-sandwichs d'un nouveau genre maîtrisent parfaitement l'art et les codes de la communication moderne. Ils et elles participent à l'effort de simplification et de dépolitisation évoqué plus haut, faisant de la lutte contre le changement climatique « une question d'ajustements réalistes plutôt que de changement structurel[47] ».

Les leaders et leadeuses d'opinion climatiques cumulent les titres et les distinctions (« Champions de la terre », « climate champion »...). Ils et elles se côtoient au sein d'alliances et de plateformes dédiées à l'« action climatique ». Leurs portraits ornent les pages web du B Team, du Climate Leadership Council, du Carbon War Room ou d'initiatives plus confidentielles comme le Voluntary Carbon Markets Integrity Initiative. Ils font partie de groupes d'experts et siègent aux conseils d'administration de fondations, d'ONG et de *think-tanks*. Ils ont leurs ronds de serviette au Forum économique mondial de Davos, au Aspen Ideas Festival, au Skoll Global Forum et à la Climate Week NYC, la grand-messe climatique annuelle organisée par The Climate Group en marge

45. IPCC (2021), *Technical Summary IPCC AR6 WG III*, 29 novembre.

46. Sessions, David (2017), « The Rise of the Thought Leader », *The New Republic*, 28 juin.

47. Giridharadas, Anand (2018), « Winners Take All. The Elite Charade of Changing the World », New York, Knopf.

de l'assemblée générale des Nations unies. Lors des COP, ils sont comme des poissons dans l'eau. Pour les voir, il suffit de se rendre aux innombrables webinaires, table-rondes, sommets pour l'action climatique, inaugurations d'initiatives et lancements de rapports. Du Global Climate Action Summit (GCAS) au One Planet Summit en passant par TED Countdown, ils sont à l'affiche d'événements et happenings climatiques sur mesure où ils ressassent inlassablement les mêmes slogans (« *Make our planet great again* », « *Impossible is not a fact, it's an attitude* ») et éléments de langage, savant mélange de critique du manque d'ambition (notamment des États), de promotion du nouvel esprit vert du capitalisme, et de célébration des entrepreneurs et capital-risqueurs érigés en « sauveurs » et « héros » du climat.

Parmi ces « champions » autoproclamés de la cause climatique on trouve des figures historiques comme Al Gore ou l'ancien acteur et gouverneur californien Arnold Schwarzenegger, ainsi que des dirigeants d'entreprise comme l'ancien PDG d'Unilever Paul Polman et le PDG de MasterCard Ajay Banga, des anciens responsables politiques, comme l'ex-présidente de la République d'Irlande Mary Robinson et l'ancienne ministre canadienne de l'Environnement Catherine McKenna, sans oublier le milliardaire et ancien maire de New York Michael Bloomberg ou et le climatologue Johan Rockström. La frontière entre leaders d'opinion climatiques et élites économiques est volontairement ténue. Les premiers participent à un effort plus large de légitimation des secondes.

Le business de l'optimisme

Pour certains d'entre eux, le leadership d'opinion est devenu un véritable job à plein temps. La championne toutes catégories est sans conteste Christiana Figueres. À partir de 2016 et suite à son départ de la CCNUCC, Figueres s'y est ainsi pleinement consacrée. Elle cumule les fonctions et les missions auprès d'une grande diversité d'acteurs et d'initiatives. Elle siège ou a siégé aux conseils d'administration de la fondation ClimateWorks, du World Resources Institute, de Conservation International, du B Team… Elle a été vice-présidente du Pacte mondial des maires pour le climat et l'énergie, référente climat auprès de la Banque mondiale et membre du Rockefeller Foundation Economic Council on Planetary Health. Elle a également été nommée (plus discrètement) auprès de grands groupes industriels. Depuis 2017, elle siège au conseil d'administration d'Acciona, le géant espagnol du BTP, de l'immobilier, de l'énergie et de la logistique. Elle a également siégé aux conseils consultatifs d'Unilever et d'Eni, la multinationale italienne d'hydrocarbures.

À chaque fois, elle associe son nom à l'« optimisme », qu'elle présente comme la clé de voûte de l'accord de Paris, dont elle aime à se présenter comme l'« architecte principale ». Dans un article de la revue *Nature* où elle retrace la genèse de l'accord, elle explique ainsi « qu'il ne pouvait y avoir de victoire sans optimisme » et que c'est « cet état d'esprit contagieux qui a permis de prendre des décisions efficaces, malgré les énormes complexités dans lesquelles nous évoluions »[48]. Depuis 2016, elle enchaîne les apparitions publiques et médiatiques avec, à chaque fois, le même mot d'ordre : pour réussir la transition bas carbone, il faut « s'installer fermement dans un état d'optimisme obstiné[49] » et créer un nouveau récit enthousiasmant afin de « redynamiser nos efforts », car « lorsque le récit change, tout change »[50].

En avril 2016, elle a enregistré un premier TED talk, rite de passage obligé pour tout leader d'opinion en herbe. Elle y retraçait la genèse de l'accord de Paris et insistait sur son rôle de promotrice d'un « optimisme transformationnel ayant permis de passer de la confrontation à la collabora-

48. Figueres, Christiana (2020), « The Secret to tackling Climate Change », *Nature*, 577, p. 470-471, 23 janvier.

49. *Ibid.*

50. Figueres, Christiana et Tom Rivett-Carnac (2020), *The Future we Choose. The Stubborn Optimist's Guide to the Climate Crisis*, Londres, Random House, p. 158.

tion[51] ». La même année, elle a fondé Mission2020, une plateforme destinée à « accroître la sensibilisation au besoin urgent de changement et générer les conditions pour agir[52] » en « [travaillant] en étroite collaboration avec les influenceurs, les leaders d'opinion et les experts[53] ». Par le biais de Mission2020 et avec l'appui de plusieurs grosses fondations philanthropiques, Figueres s'est impliquée dans plusieurs projets censés générer une dynamique autour de la transition bas carbone et « mettre l'accord de Paris en mouvement ». Elle et son équipe ont activement participé à l'organisation du Global Climate Action Summit (GCAS) à San Francisco en 2018. Mission2020 s'est également associé aux communicants du GSCC pour créer et promouvoir un « métarécit » autour de 2020, présentée comme une « année cruciale » notamment parce que, dans le cadre de l'accord de Paris, c'est l'année où les gouvernements étaient censés réviser leurs engagements de réduction à la hausse[54].

En 2018, Christiana Figueres lance une nouvelle plateforme, Global Optimism, afin de valoriser les différents projets auxquels elle participe et, à travers eux, sa propre image de « leader » de la cause climatique. Alors qu'ils étaient jusque-là centrés sur 2020, Figueres et ses équipes se sont mis à présenter 2030 comme *la* nouvelle échéance décisive pour le climat. Parmi les projets estampillés Global Optimism, on trouve un podcast, « Outrage and Optimism », qu'elle coanime depuis 2019. Les invités du podcast sont un véritable « Who's Who » des élites climatiques : du maire de Londres, Sadiq Khan, à David Attenborough en passant par Jesper Brodin, le PDG d'Ikea, le climatologue Michael Mann, le prince William ou encore le PDG de Shell, Ben van Beurden.

---

51. Figueres, Christiana (2016), « La vraie histoire de l'accord climatique de Paris », TED : https://www.ted.com/talks/christiana_figueres_the_inside_story_of_the_paris_climate_agreement?language=fr

52. Mission 2020 (2016), « Home Page », site accessible *via* le Internet Archive, https://web.archive.org/web/20160501000000*/mission2020.global.

53. *Ibid.*

54. Mission2020/GSCC (2020), document interne.

« Outrage and Optimism » est aussi un excellent moyen de promouvoir les projets auxquels participe Figueres. Parmi ceux-ci, The Climate Pledge est une initiative cofondée avec Jeff Bezos en 2019 qui rassemble des entreprises volontairement engagées dans l'objectif de neutralité carbone d'ici 2040. En s'associant à Jeff Bezos, Figueres a contribué à le « climatiser » et à en faire un acteur respectable du débat climatique international. Au fond, l'activisme de Figueres ne consiste pas qu'à promouvoir l'action climatique, il agit aussi comme une porte d'entrée pour milliardaires philanthropes, banquiers, PDG et hommes d'affaires qui souhaitent verdir leur image et s'afficher comme des alliés de la cause climatique. Elle les légitime, en particulier auprès de leurs salariés et collaborateurs, de plus en plus préoccupés par l'enjeu écologique. Il lui arrive ainsi d'offrir des tribunes à des acteurs pour le moins douteux. En invitant sur son podcast, entre un épisode avec Johan Rockström et un autre avec l'activiste Katie Eder, le PDG de Shell Ben van Beurden, elle fait de Shell un acteur « positif » de la transition bas carbone. Cet épisode ultra-scénarisé est un peu la version 2021 du documentaire *Climate of Concern* mentionné plus haut. Il aura une audience bien plus confidentielle qu'*Une vérité qui dérange* ou *Don't Look Up !*, mais il contribuera à un effort plus large de « détoxification » des entreprises fossiles, notamment auprès de leurs salariés. Ainsi, et alors qu'elle promeut un discours très binaire, Christiana Figueres participe à l'obscurcissement, décrit plus haut, de la frontière entre « pro » et « anti » climat.

Chassez le réel, il revient au galop

Dans le milieu du leadership d'opinion, les renvois d'ascenseur sont monnaie courante. Les leaders légitiment les initiatives, plateformes, organisations et autres leaders auxquels ils s'associent, et ces derniers les légitiment en retour. En remerciant publiquement untel, en l'invitant sur son podcast ou en le présentant comme « un des architectes de l'accord de Paris », on s'affirme soi-même en tant que leader. *The Future we Choose* (*Inventons notre avenir !* en français, publié en 2020), le livre cosigné par Christiana Figueres et Tom Rivett-Carnac, est un cas d'école. Ce qui importe, c'est moins le contenu de l'ouvrage que ses cinq pages de remerciements, une liste interminable où se côtoient Greta Thunberg, Patrick Pouyanné, Bill McKibben, Al Gore ou encore Gordon Brown. Ces remerciements s'accompagnent de nombreux « endorsements[55] », parmi lesquels ceux de l'activiste Naomi Klein (« Figueres et Rivett-Carnac osent nous dire comment nos actions peuvent créer un monde meilleur, plus juste »), de l'entrepreneur milliardaire Richard Branson (« Il ne pourrait y avoir de livre plus important ») ou encore de Klaus Schwab, le PDG du Forum économique mondial de Davos (« Il pourrait s'agir du coup de semonce le plus important de notre époque »).

Les leaders et leadeuses d'opinion climatiques peuplent un univers parallèle de faux-semblants où les sommets pour l'action climatique et autres événements sont leurs villages Potemkine, des décors en carton-pâte en complet décalage avec la réalité. À force de participer et d'alimenter cet entre-soi, ils et elles finissent par y succomber ou, à tout le moins, à en devenir accros. Ils se mettent à croire aux histoires qu'ils racontent et dont ils sont les principaux personnages. Et même lorsqu'au fond d'eux-mêmes ils ont des doutes, le fait de s'entourer d'autres leaders et de participer à ce cirque climatique les rassure. Se réfugier dans cet univers parallèle douillet et sous contrôle offre la possibilité de fuir le réel et ses propres contradictions. Le One Planet Summit et Climate Week NYC sont un peu leur Lexomil.

Pour s'en convaincre, il suffit d'observer les événements où les choses ne se sont pas passés comme prévu. Le dernier exemple en date remonte à octobre 2021, à l'occasion du TED

---

55. Pratique typiquement anglo-américaine qui consiste à publier à même la couverture ou sur des supports promotionnels des propos de personnalités vantant les qualités du livre.

Countdown Summit à Édimbourg, à la veille de la COP26. Initialement prévu en 2020 mais décalé à octobre 2021 pour cause de covid, le Summit se voulait *le* rendez-vous des « faiseurs et penseurs (*doers and thinkers*) les plus brillants du monde ». Officiellement lancé en décembre 2019, le TED Countdown est une initiative conjointe de Leaders Quest – une organisation spécialisée dans la formation de cadres supérieurs et de chefs d'entreprise aux grands enjeux du moment – et de la fondation TED, qui organise depuis 1984 les fameux *talks* et conférences du même nom. Son but est de « dévoiler les solutions imaginatives et reproductibles à plus grande échelle dont on aura besoin pour inverser la tendance sur le climat et créer un monde plus sain et plus équitable pour tous[56] ». Triés sur le volet, les participants au Countdown Summit de 2021 ont dû s'acquitter de 10 000 dollars de droits d'entrée. Pour 40 000 dollars de plus, ils avaient droit à un « service de conciergerie[57] ».

Le 14 octobre 2021, c'est Christiana Figueres elle-même qui animait la séance. Sur scène, Chris James, PDG de Engine No.1, un fonds d'investissement dit « activiste » qui s'était fait connaître en menant campagne pour remplacer quatre membres du conseil d'administration d'Exxon-Mobil alors qu'il ne détenait que 0,02 % des actions. À ses côtés, Ben van Beurden, le PDG de Shell (encore lui !), et Lauren MacDonald, une activiste écossaise en lutte contre un nouveau projet de champ pétrolier impliquant Shell, à proximité des îles Shetland. Le panel concocté par les organisateurs était osé et témoignait de leur sentiment de toute-puissance[58]. Figueres et l'équipe TED étaient persuadés que la jeune activiste se plierait à leurs exigences et suivrait leurs consignes à la lettre. À l'origine, a expliqué Lauren

---

56. TED (2021), « The Countdown Summit », Special Events, https://countdown.ted.com/

57. *Ibid.*

58. Quelques semaines plus tard, Shell annonçait sa décision de se retirer du projet. Harvey, Fiona (2021), « Shell pulls out of Cambo Oilfield Project », *The Guardian*, 2 décembre.

MacDonald, « on m'avait demandé de faire une intervention de trois minutes face au panel. La veille, le programme a été changé et on m'a intégrée au panel pour discuter avec le PDG [de Shell]. [...] j'ai participé à quatre heures de réunion avec le staff TED en charge du coaching des intervenants, heures durant lesquelles on a planifié, mot pour mot, "ce que j'allais dire". Ils voulaient couper beaucoup de ce que j'avais prévu d'exposer. Par exemple, ils m'ont encouragée à ne pas parler des "Ogoni Nine" [les activistes nigérians assassinés par Shell dans les années 1990][59] ».

Le moins que l'on puisse dire, c'est que les choses ne se sont pas déroulées comme prévu. Environ dix-sept minutes après le début de la séance, Lauren MacDonald a pris la parole : « Monsieur van Beurden, je veux commencer par dire que vous devriez avoir honte pour la dévastation des communautés partout dans le monde. Vous êtes déjà responsable de tant de morts et de souffrances. Je ne vais même pas vous demander de changer car je sais que c'est une perte de temps. [...] Vous êtes l'une des personnes les plus responsables de cette crise [...] et, de mon point de vue, cela fait de vous l'une des personnes les plus diaboliques du monde[60]. » Elle décroche son micro et s'apprête à quitter la scène.

Stupeur dans la salle. Visiblement décontenancée, Christiana Figueres a tenté de reprendre la main sur la situation en demandant à MacDonald de rester sur scène. En vain. Puis Figueres s'est adressée vers le public : « Ok. Est-ce que je peux demander à tout le monde d'inspirer profondément et de fermer les yeux un instant ? » Avant de poursuivre, des trémolos dans la voix : « Allez vers cet endroit de douleur qui se loge en chacun de nous. Séparément du raisonnement qui a été présenté... au fond de ce que nous venons d'entendre, il y a une douleur profonde. Et j'encouragerai tout le monde à

---

59. Heglar, Mary Annaïse (2021), « Say it to Their Faces », entretien avec Lauren MacDonald, *Hot Take*, 17 octobre.

60. TEDBlog (2021), « Decarbonizing Fossil Fuels. An Unedited Discussion from TED Countdown Summit », TED, 14 octobre.

se connecter à cette douleur que nous partageons tous. Nous la gérons tous différemment mais nous partageons tous la douleur de ce que nous avons perdu. Et il y a une énorme opportunité pour nous d'exprimer cette douleur et en même temps de chercher la force qui est en nous pour réaliser ce changement [la transition bas carbone] dans les temps[61]. »

Ces quelques minutes sont paradoxalement révélatrices du caractère ultra-contrôlé de la communication climatique. Ce qu'a fait Lauren McDonald est exceptionnel. Elle a brisé l'omerta, au risque de se voir écartée d'autres plateformes et initiatives climatiques. Elle n'a pas seulement défié le PDG de Shell, elle s'est attaquée à l'infrastructure communicationnelle créée pour « orchestrer » et « orienter » le récit dominant autour du climat. La réaction de Figueres est tout aussi instructive. Elle révèle à la fois sa vulnérabilité et son extraordinaire professionnalisme. En l'interprétant à travers le registre des émotions – la douleur –, elle a mobilisé et détourné l'émotion suscitée – y compris chez elle – par MacDonald afin de désamorcer et invalider sa critique : c'est la douleur qui a parlé, et pas la raison. En même temps, elle s'est servi de la douleur pour minimiser les différences et créer un semblant de « nous » collectif. Figueres, van Beurden, MacDonald : ils ont certes des points de désaccord, mais ils partagent, et c'est bien là l'essentiel, une même vulnérabilité et une même douleur face au chaos climatique.

Christiana Figueres et les autres communicants savent manipuler l'émotion et la détourner à leur profit. En bonne communicante, Figueres a compris que c'est l'émotion qui compte et que, en se focalisant sur elle, en l'entretenant, le débat peut se déplacer du fond – la responsabilité de Shell dans la crise climatique – vers la forme – une douleur partagée qui nous submerge parfois et rend le dialogue compliqué. La force des communicants réside dans leur capacité à exploiter les registres de la peur, de la douleur et de la rage, non

61. *Ibid.*

seulement pour susciter une prise de conscience mais pour neutraliser toute forme de critique à l'égard du capitalisme vert. C'est, nous expliquent-ils, parce que la politique oppose et est source de conflit qu'elle est nuisible à la transition bas carbone et qu'il faut la dépasser, surtout compte tenu de l'urgence de la situation. Le problème n'est pas politique mais lié au fait que l'on n'arrive plus à se parler et à s'écouter. En bref, on ne sait pas communiquer.

5

Une photo avec Greta

> « On pense parfois que l'on est en train de "dire la vérité aux puissants" alors qu'en réalité on est en train de "parler à un événement organisé par ceux au pouvoir et pour les maintenir en place" ».
>
> Nathan Thanki, activiste climatique[1]

Je t'aime, moi non plus

Si une scène devait résumer à elle seule l'état actuel du débat climatique, ça pourrait être celle-là. Le 21 janvier 2020, au Forum économique mondial de Davos, Greta Thunberg, jeune égérie du mouvement climat, s'est adressée à un parterre de hauts dirigeants et personnalités politiques et économiques. Durant un peu moins de huit minutes, Thunberg a pris son auditoire à partie, l'accusant de ne pas assez agir pour le climat : « Je me demande ce que vous allez raconter à vos enfants lorsqu'il faudra leur expliquer votre échec et le chaos climatique que vous leur léguez sciemment. » Avant de conclure : « Notre maison brûle toujours, et votre inaction attise un peu plus les flammes d'heure en heure[2] ».

1. Thanki, Nathan (@n_thanki) (2022), « Sometimes we think we are "speaking truth to power" when actually we are "speaking at an event organised by power for the purposes of maintaining itself" », 30 septembre 2022, publication Twitter.
2. Sengupta, Somini (2020), « Greta Thunberg's Message at Davs Forum. "Our house is Still on Fire" », *New York Times*, 21 janvier.

Ce qu'il y a de saisissant dans cette scène, ce n'est pas tant le ton de son intervention et le décalage entre la militante climatique, en jeans, baskets et sweat à capuche, et un auditoire dont le bilan carbone cumulé avoisine celui d'un petit État. C'est plutôt la réaction de ce dernier et sa signification symbolique. Loin de signaler une soudaine prise de conscience ou un revirement idéologique ou stratégique, le tonnerre d'applaudissements et la « standing ovation » qui ont suivi son discours scellaient la réappropriation d'un symbole – Greta Thunberg – et du mouvement qu'il incarnait – les millions de jeunes mobilisés pour le climat à travers le monde. Peu importait, au fond, la violence de ses paroles. Et peu importait sa sincérité ou l'émotion qu'elle dégageait. Ce 21 janvier 2020, il s'agissait d'accrocher Greta Thunberg à son tableau de chasse, et par là même d'entretenir un *statu quo* qui, au-delà des slogans et des belles paroles, nous mène tout droit vers un monde à + 2 °C ou + 3 °C.

Plus largement, le sommet de Davos de 2020 est l'expression d'un effort concerté de prise en main du débat climatique par les élites ; un effort initié au début des années 2000 et dont les étapes successives ont été précédemment décrites : construction d'une conscience climatique de classe (chapitre 1), travail de façonnage, à grand renfort de consultants, de communicants et d'experts en tout genre, des institutions et processus internationaux censés tracer la voie à suivre en matière de politiques climatiques (chapitres 2 et 3), et orientation du discours dominant sur la crise climatique et les solutions à y apporter (chapitre 4). En 2020, le mouvement climat représentait l'ultime obstacle à surmonter dans cette lutte hégémonique. La réappropriation du mouvement était d'autant plus centrale qu'il constituait l'un des principaux bastions de résistance face à l'OPA en cours et ses effets concrets : aggravation de la crise climatique, priorisation des mécanismes de marché et du « technosolutionnisme », accroissement des inégalités sociales, crise démocratique…

La participation de Greta Thunberg au Forum de janvier 2020 faisait suite à une année historique de mobilisations en tout genre déclenchées par la publication du rapport spécial du GIEC sur les 1,5 °C (publié en octobre 2018). La première grève climatique mondiale organisée en mars 2019 par Fridays For Future, le mouvement porté par Thunberg, a rassemblé de par le monde près d'un million de manifestants. Quelques mois plus tard, en septembre 2019, lors de la Semaine mondiale pour le futur, le chiffre a quasiment atteint 6 millions de manifestants[3]. Et c'est sans compter les nombreux happenings et actions de désobéissance civile non violents des activistes d'Extinction Rebellion (XR), mouvement né au Royaume-Uni à la fin 2018, ou les nombreuses luttes plus locales en lien plus ou moins direct avec la crise – ZAD de Notre-Dame-des-Landes, Ende Gelände, Keystone XL… La radicalité des discours et la dimension spectaculaire des actions menées, conjuguées à leur croissante popularité et leur résonance médiatique, ont contribué à positionner le mouvement climat au cœur du débat climatique international. Il ne pouvait d'autant moins être ignoré qu'il représentait une menace potentielle pour le régime climatique institué par l'accord de Paris.

Afin d'influencer – et donc de neutraliser – le mouvement, les élites ont exploité ses faiblesses, et notamment ses difficultés à s'extraire d'un agenda climatique international dont le séquençage et l'orientation répondent en priorité aux intérêts des élites climatiques. La présence de Thunberg à Davos est symptomatique d'une difficulté plus large à exister hors des arènes – CCNUCC, GIEC, sommets climatiques de type One Planet Summit – qui, mises bout à bout, constituent ce que l'on appelle communément le « régime de gouvernance climatique ». Cela renvoie au fait que les origines et l'évolution du mouvement climat sont indissociables des institutions et processus internationaux créés à la fin des années 1980 et au début des années 1990 pour

3. de Moor, Joost, Michiel De Vydt, Katrin Uba et Mattias Wahlström (2021), « New Kids on the Block. Taking Stock of the Recent Cycle of Climate Activism », *Social Movement Studies*, 20(5), p. 619-625.

traduire le consensus scientifique naissant autour du climat en politiques et actions concrètes[4]. Et dès lors que ces institutions et processus ont été cooptés par les élites économiques, le mouvement climat est devenu structurellement dépendant de ces élites et de leur agenda politique.

Un mouvement dépendant

Pour les scientifiques, les experts, les hommes politiques et les technocrates à l'origine du GIEC et de la CCNUCC, le déploiement d'une « société civile globale » climatique était essentiel à la légitimation de l'enjeu et des institutions et processus nouvellement créés. Il fallait aussi obtenir l'engagement des États en vue d'une réponse globale et négociée. Comme l'écrivait à l'époque un responsable de la Rockefeller Brothers Fund (RBF), fondation très impliquée dans la construction et le financement des différentes institutions et processus climatiques, « compte tenu de la lenteur glaciale à laquelle avancent les différents gouvernements du monde vers une action coordonnée pour traiter du problème [climatique], les organisations non gouvernementales informées et compétentes, libérées des considérations politiques qui contraignent les initiatives gouvernementales, ont un rôle important à jouer[5] ». À ses origines, les quelques ONG qui, mises bout à bout, composaient le mouvement climat étaient donc perçues et conçues par les élites comme une force d'appui au processus onusien ; une force d'appui dont le principal objectif était la mise à l'agenda politique de l'enjeu climatique et sa légitimation dans l'espace public – en particulier face aux efforts coordonnés des climato-sceptiques et des intérêts fossiles. Créé en 1989, à la veille de la Second

4. Morena, Édouard (2021), « The Climate Brokers. Philanthropy and the Shaping of a "US-Compatible" International Climate Regime », *International Politics*, n° 58, p. 541-562.

5. Rockefeller Brothers Fund Records (1989), « From the Agenda and Docket for the RBF Executive Committee Meeting », FA005, RG 3, série 2, boîte 1446, dossier 9048, 27 juin.

World Climate Conference (SWCC) à Genève en 1990, le Climate Action Network (CAN) incarnait ce cadrage initial et ce rapport symbiotique entre mouvement climat et processus onusien. Regroupant plusieurs dizaines d'ONG et de *think-tanks* environnementaux, parmi lesquels les grandes ONG internationales telles que le WWF ou Greenpeace, le CAN a joué un rôle important de soutien et de promotion du GIEC et de la CCNUCC. Plus largement, il a diffusé l'idée qu'une réponse globale devait être apportée à la crise climatique.

Il a fallu attendre les années 2000 pour voir les premières remises en cause sérieuses du monopole du CAN et de son positionnement vis-à-vis des négociations en cours[6]. Plus la réalité de la crise climatique se faisait sentir, plus la science faisait consensus, plus l'orientation du débat reflétait les intérêts de certaines élites économiques, et plus la proximité entre le CAN et le processus officiel devenait problématique aux yeux de certains. Au début des années 2000, plusieurs voix se sont élevées à l'intérieur du CAN face à ses réticences à critiquer le faible niveau d'ambition des États, la marginalisation des enjeux de justice, et la foi démesurée dans les mécanismes de marché et les nouvelles technologies. À ces critiques internes se sont ajoutées celles de mouvements sociaux et d'ONG extérieurs à la CCNUCC et fraîchement débarqués dans l'arène climatique. On pense aux organisations syndicales, indigènes, féministes qui ont réussi à officiellement se faire reconnaître par la CCNUCC. On pense aussi aux acteurs de la justice environnementale aux États-Unis[7] et aux organisations altermondialistes qui ont fait irruption sur la scène climatique dans la période qui précéda la COP15 (2009). Ouvertement

---

6. Newell, Peter (2005), « Climate for Change ? Civil Society and the Politics of Global Warming », *in* Anheier, Helmut, Mary Kaldor et Marlies Glasius (dir.), *Global Civil Society 2005/6*, Londres, Sage, p. 90-119.

7. Schlosberg, David et Lisette Collins (2014), « From Environmental to Climate Justice », *WIREs Climate* Change, 5(3), p. 359-374 ; Chatterton, Paul, David Featherstone et Paul Routledge (2012), « Articulating Climate Justice in Copenhagen. Antagonism the Commons, and Solidarity », *Antipode*, 45(3), p. 602-620.

opposés à l'orientation prise par le débat climatique international, ils ont été les premiers à critiquer la mainmise des élites économiques sur le processus de négociation.

C'est lors de la conférence climat de Bali en 2007 que les déçus du CAN et les transfuges de l'altermondialisme se sont rassemblés et ont formé un nouveau réseau, Climate Justice Now! (CJN!). Et comme nous l'avons vu (chapitre 2), c'est également à Bali que les mécanismes de marché et leur consolidation ont été placés au cœur du processus de négociation d'un nouvel accord. Face à cette évolution, les partisans de la justice climatique se sont efforcés de réancrer le débat climatique dans des luttes et des enjeux sociaux, spatiaux et politiques plus concrets : inégalités sociales et droits des travailleurs, droits des peuples autochtones, luttes paysannes et pour la souveraineté alimentaire, inégalités Nord/Sud, antiracisme, droits des femmes, critique de la mondialisation néolibérale et des multinationales… Selon Nicola Bullard, figure du CJN! et ancienne responsable de l'ONG Focus on the Global South, « la différence entre CAN et CJN! est en fait surtout une différence d'approche : d'un côté (CJN!) la construction de mouvements et de l'autre (CAN) le lobby. […] Ce qui est critiqué, c'est leur approche des négociations, leur choix de se situer complètement à l'intérieur des négociations. Ils se sont ainsi déconnectés des forces de transformation sociale, de ce qui se passe sur le terrain[8] ».

Pour autant, et malgré ces prises de position critiques en marge du processus officiel de négociations, la montée en puissance d'une frange plus radicale n'a pas entraîné de décrochage complet vis-à-vis d'un processus climatique onusien de plus en plus dépendant des intérêts de certaines élites économiques. De Copenhague à Glasgow en passant par Paris, les COP offrent un semblant d'unité à un mouvement géogra-

8. Bullard, Nicola, et Nicolas Haeringer (2010), « "Changer le système, pas le climat". La construction du mouvement pour la justice climatique », *Mouvements*, n° 63, p. 47-57.

phiquement dispersé et idéologiquement et stratégiquement composite[9]. Comme l'a expliqué Nathan Thanki, cocoordinateur du réseau Global Campaign to Demand Climate Justice, la COP « est un événement majeur du calendrier climatique. Elle occupe une place centrale, et de nombreuses activités finissent par être centrées sur la COP[10] ». Ainsi, à Glasgow en 2021, pour la COP26, entre 20 000 et 30 000 personnes ont fait le déplacement. Soit une affluence comparable à celles de la COP21 à Paris ou de la COP15 à Copenhague. Cela témoigne de la force d'attraction des conférences climatiques onusiennes en tant que points d'ancrage indispensables à la structuration, à la mobilisation et à la visibilité des divers acteurs qui se réclament du mouvement climat.

Mobiliser les marges

Du côté des élites climatiques, il y a eu, au lendemain de la conférence de Copenhague, une prise de conscience de l'importance prise par les mobilisations en marge des COP et de leur influence sur le processus de négociation. Les mobilisations de CJN! et d'autres mouvements pour la justice climatique dans les rues de la capitale danoise ont été identifiées comme l'une des causes de l'échec de la COP15[11]. D'après Nick Mabey, Liz Gallagher et Camilla Born, du *think-tank* environnemental E3G, ces mobilisations ont symbolisé l'entrée dans une nouvelle phase du débat climatique : « La diplomatie climatique s'est déplacée d'une focalisation étroite sur le processus de la CCNUCC vers une discipline plus

9. Caniglia, Beth, Robert Brulle et Andrew Szazs (2015), « Civil Society, Social Movements, and Climate Change », *in* Riley Dunlap et Robert Brulle (dir.), *Climate Change and Society. Sociological Perspectives*, Londres, Oxford University Press.

10. Thanki, Nathan (2021), « What Really happens at a UN Climate Summit ? », Weekly Economics Podcast, novembre : https://soundcloud.com/weeklyeconomicspodcast/cop26.

11. Chatterton, Paul, David Featherstone et Paul Routledge (2012), « Articulating Climate Justice in Copenhagen », *loc. cit.*

large et complexe engageant de nouveaux groupes et intégrant des discussions géopolitiques plus larges[12]. » La priorité allait désormais à la production et à la diffusion de « récits enchanteurs », au « façonnage de la perception publique, [au] recrutement et [à] la formation de nouveaux leaders et [à] la mobilisation de groupes clés ». Tout ceci, mis bout à bout, créerait un cadre favorable à la possibilité d'un nouvel accord international sur le climat[13]. Compte tenu de sa capacité à produire et diffuser des récits, le mouvement pour le climat, et plus particulièrement ses composantes actives en marge de la CCNUCC, est devenu un acteur clé de la réussite (ou de l'échec) des COP et en particulier la COP21. Sortir du cadre étriqué de la CCNUCC et s'assurer de la « bonne » interprétation de l'accord de Paris (comme un succès) fut ainsi une condition de la réussite de la COP21.

Dès lors, et surtout à partir de Copenhague, les élites ont cherché à tirer parti de la dépendance du mouvement climat à l'égard du processus onusien, et, dans la mesure du possible, à canaliser les mobilisations à sa marge en faveur d'un nouvel accord qui réponde à leurs attentes et à leurs intérêts. Plutôt que de les dénigrer ou de s'en distancier, la priorité fut désormais de soutenir prudemment les mobilisations de rue. Les images de Ban Ki-moon, Laurent Fabius (futur président de la COP de Paris), Al Gore et Ségolène Royal (ministre de l'Environnement), bras dessus, bras dessous, sur la 5e Avenue à New York à l'occasion de la People's Climate March en septembre 2014 sont symptomatiques de cet intérêt soudain des élites climatiques envers ces manifestations et de cette volonté de faire du « off » un instrument au service du « in ».

Au-delà de ce soutien symbolique, les élites climatiques ont financé, notamment par le biais des fondations philanthropiques, plusieurs ONG spécialisées dans l'organisation

12. Mabey, Nick, Liz Gallagher et Camilla Born (2013), *Understanding Climate Diplomacy. Building Diplomatic Capacity and Systems to Avoid Dangerous Climate Change*, Londres, E3G.

13. « European Climate Foundation (2011), *Vision 2020*, La Haye, ECF.

et l'orchestration de mobilisations en faveur du processus officiel[14]. Parmi elles, Avaaz.org, spécialisée dans le cyber-activisme, a joué un rôle clé dans l'orchestration de campagnes d'information et de journées d'action qui, par le biais de slogans volontairement consensuels et bon enfant, avaient pour seul objectif d'inciter à finaliser l'accord (« *seal the deal* ») en lui donnant un semblant d'élan populaire[15]. L'arme philanthropique fut également mobilisée afin d'inciter les ONG et mouvements divers, et en particulier ceux qui étaient actifs à la marge du processus onusien, à aligner leurs efforts sur ceux des architectes du nouvel accord. Par le biais de réseaux et de plateformes comme le « Croissant Conspiracy » – un groupe informel de spécialistes en communication – ou l'International Politics and Policy Initiative (IPPI) – « une plateforme de coopération philanthropique » créée en 2011 pour « [développer] des stratégies conjointes de partage de ressources et d'alignement des financements dans le domaine de la gouvernance climatique internationale[16] » –, les élites climatiques ont fait pression sur les différentes composantes du mouvement climat. Comme me l'expliquait un représentant d'ONG à la veille de la COP21, « en monopolisant les flux de financements, l'IPPI rend difficile l'accès au financement pour ceux qui ont des idées différentes[17] ». Pour un autre activiste, l'IPPI « a vidé de sens les ONG et la société civile ».

Tout en canalisant les fonds philanthropiques, l'IPPI a également participé à une homogénéisation des discours et des stratégies en abreuvant le mouvement de conseils,

---

14. de Moor, Joost, Edouard Morena et Jean-Baptiste Comby (2017), « The Ins and Outs of Climate Movement Activism », dans Aykut, Stefan, Jean Foyer et Édouard Morena, *Globalising the Climate. COP21 and the Climatisation of Global Debates*, Londres, Routledge, p. 77.

15. Voorhaar, Ria (2015), « Civil Society Responds as Final Paris Climate Agreement », Climate Action Network, 12 décembre.

16. European Climate Foundation (2014), *Annual Report 2013*, La Haye, ECF, p. 26.

17. Entretien avec l'auteur.

de notes stratégiques et d'éléments de langage sur différents points en lien avec les négociations et l'actualité climatique. Comme pour les scientifiques, il s'agissait aussi de marginaliser les voix dissonantes en les tenant responsables d'un échec éventuel des négociations. Pour être du bon côté de l'histoire, il ne suffisait plus d'accepter la réalité du problème climatique et de se mobiliser en conséquence. Il fallait désormais se conformer à l'approche dominante, et ce, que l'on soit au cœur ou en marge du processus onusien.

« Signaux » et « momentum »

L'accord de Paris a opéré un tournant majeur dans la gouvernance climatique. Comme nous l'avons vu dans le précédent chapitre, il a signé le passage vers un mode de gouvernance où les traités internationaux « apparaissent de plus en plus comme des outils stratégiques et performatifs, dont la vocation n'est pas d'être appliqués à la lettre, mais d'influer sur les attentes et croyances des acteurs identifiés comme centraux[18] », et en particulier les investisseurs et les entreprises. En étant axé sur un objectif global, sur un mécanisme volontaire de soumission de plans climat nationaux par les États et de contributions par les entreprises, la production de récits enchanteurs, de « signaux » et de « momentum » est devenue centrale dans ce nouveau « régime incantatoire » de gouvernance du climat[19].

D'outil au service d'un nouvel accord et de sa bonne interprétation, le mouvement climat s'est mué en producteur et diffuseur de récits climatiques, devenant dès lors un rouage essentiel du nouveau régime institué par l'accord de Paris. À travers ses slogans et actions spectaculaires, il a participé à diffuser et à accroître le sentiment d'urgence qui est au cœur des efforts de communication déployés pour

18. Aykut, Stefan (2017), « La "gouvernance incantatoire" », *loc. cit.*
19. Aykut, Stefan, Édouard Morena et Jean Foyer (2021), « "Incantatory" Governance », *loc. cit.*

« mettre l'accord de Paris en mouvement ». Les actions « radicales », dès lors qu'elles restent non violentes et se limitent à des appels à « suivre la science » et à plus « d'ambition », sont tolérées, voire encouragées. Ainsi, la montée en puissance, courant 2019, d'Extinction Rebellion et de Fridays for Future, le mouvement de Greta Thunberg, a été accueillie avec bienveillance par les élites climatiques. Al Gore, Christiana Figueres, Arnold Schwartzenegger, Leonardo di Caprio, Richard Branson et tant d'autres se sont empressés de leur exprimer leur soutien et de s'afficher à leurs côtés. Thunberg se souvient ainsi des files de personnalités en quête d'un selfie qui se sont formées à chacune de ses interventions publiques : « Ils m'apercevaient et tout à coup ils voyaient l'opportunité de se faire prendre en photo avec moi pour leurs comptes Instagram suivi du hashtag #sauverlaplanète[20]. »

À l'occasion de la grève pour le climat de mars 2019 et dans une vidéo postée sur les réseaux sociaux, l'ancienne secrétaire exécutive de la CCNUCC et désormais femme sandwich du capitalisme vert, Christiana Figueres, a appelé les jeunes manifestants à « continuer à nous demander des comptes » face au « manque d'action sur le changement climatique »[21]. Quelques semaines plus tard, elle leur a de nouveau apporté son soutien dans une seconde vidéo : « Extinction Rebellion et les grèves scolaires [...] font prendre conscience à tout le monde que nous avons une urgence sur le climat. Nous n'agissons tout simplement pas assez vite. Cette indignation qui s'exprime dans les rues doit se transformer en actions dont la vitesse et l'ampleur correspondent à l'urgence. On a tout ce qu'il faut pour y arriver. On a juste besoin de décisions

---

20. SKY News (2020), « Greta Thunberg. World Leaders want Selfies with me so they can "look Good" », Sky News, 28 juin.

21. Figueres, Christiana (2019), (@CFigueres, « A whole new generation has understood the Paris Agreement's significance and the urgent need to act on climate to protect our future. #GlobalOptimism #YouthStrike4Climate, #SchoolStrike4Climate, #GlobalStrike4Climate @thebteamhq », publication Twitter, 14 mars.

politiques claires et déterminées[22]. » Cette vidéo de Figueres est révélatrice de l'intention sous-jacente des élites climatiques face à la montée en puissance de ces mobilisations d'un nouveau genre. Leur priorité est non seulement de les soutenir, mais aussi – et surtout – de les interpréter, et en les interprétant de les mettre au service de leur projet politique et de leurs intérêts. Figueres insinue ainsi que ce sont les élites qui ont les solutions à la crise et que le principal objectif de ces mouvements est de susciter une prise de conscience du problème et de son urgence. En leur apportant son soutien, elle sous-entend également que, contrairement aux apparences, les élites et les mouvements de type XR ou Fridays For Future sont en fait dans le même camp et complémentaires, unis par une même indignation face à l'inaction et au manque d'ambition des décideurs politiques. En se distanciant des gouvernements et des bureaucraties étatiques – avec lesquels ils entretiennent par ailleurs des liens étroits – et en prenant parti pour les manifestants, Figueres et les autres installent un peu plus l'idée que le salut, du moins en apparence, viendra nécessairement « de la base », à savoir un mix détonnant d'activistes mobilisés dans la rue et d'investisseurs et entrepreneurs.

En appui de ces efforts des élites climatiques, une petite armée de spécialistes en communication a été mobilisée pour accompagner gratuitement les activistes et les aider à répondre aux nombreuses sollicitations de journalistes. C'est notamment le cas du Global Strategic Communications Council (GSCC), un réseau international d'experts en communication fondé en 2009 et hébergé au sein de la Fondation européenne pour le climat[23]. Deux communicants du GSCC ont ainsi apporté un « soutien technique et logistique » à Greta Thunberg. Un autre communicant, Callum Grieve,

22. Figueres, Christiana (2019), « Christiana Figueres in support of Extinction Rebellion », *Outrage & Optimism*, vidéo YouTube : https://www.youtube.com/watch?app=desktop&v=1wN9ppTnC0k&feature=youtu.be.

23. Wheaton, Sarah (2021), « The Climate Activists stealing Big Oil's Playbook », *loc. cit.*

ancien directeur de la communication de Mission 2020 (initiative de Christiana Figueres), de We Mean Business et de The Climate Group (voir chapitre 1), lui a également porté assistance[24]. Mais, contrairement à ce qu'ont pu affirmer la députée LR Valérie Boyer ou Michel Onfray, Thunberg n'était ni « sous leur emprise » ni un « produit manufacturé »[25]. Grieve et les communicants du GSCC n'ont pas cherché à influencer ses prises de position mais simplement à la raccorder au calendrier climatique international et, par ce biais, à la transformer en acteur du régime incantatoire né de l'accord de Paris. À l'image du mouvement climat dans son ensemble, Thunberg s'est ainsi retrouvée prise au piège du calendrier infernal des « moments climatiques globaux » – Davos, COP, sommets en tout genre – qui jalonnent le calendrier et sont censés créer le « momentum » et les « signaux » nécessaires à une transition bas carbone réussie.

Diviser pour mieux régner

En septembre 2021, la nouvelle fondation de Jeff Bezos, le Bezos Earth Fund, a annoncé qu'elle s'engageait à verser près de 150 millions de dollars à différentes organisations américaines pour la justice climatique, provoquant une onde de choc au sein du mouvement climat. Fallait-il ou non accepter l'argent ? Était-il possible de séparer le Bezos philanthrope climatique du Bezos multimilliardaire et fondateur d'une société, Amazon, qui exploite ses livreurs et ses préparateurs de commandes[26], et qui émet plus de 60 millions de tonnes de CO_2 par an[27] ? Pour des organisations de terrain comme

---

24. Brun, Maëlle (2020), « Greta Thunberg, la voix qui secoue la planète », *L'Archipel*, 20 août.
25. Buisson, Marine (2019), « Cinq questions que se posent les sceptiques et complotistes sur Greta Thunberg », *Le Soir*, 24 septembre.
26. Sainato, Michael (2020), « "I'm not a Robot". Amazon Workers condemn Unsafe, Grueling Conditions at Warehouse », *The Guardian*, 5 février.
27. Webb, Samuel (2021), « Is Jeff Bezos Serious about Protecting the Environment ? », *Independent*, 9 décembre.

le Deep South Center for Environmental Justice, le Partnership for Southern Equity, WE ACT for Environmental Justice ou le NDN collective, les 4, 6 voire 12 millions de dollars accordés étaient des montants considérables et difficiles à refuser. Les arguments avancés pour justifier le fait d'accepter les financements sont révélateurs de l'embarras provoqué et de l'incapacité à les refuser. Selon Angela Mahecha Achar, la directrice exécutive du Climate Justice Alliance, un réseau d'organisations pour la justice climatique nord-américaines, il fallait « prendre tout l'argent qui vient vers nous » car de toute façon, « tout argent est de l'argent sale »[28]. Pour Nick Tilsen, le directeur du NDN Collective, une organisation militant pour les peuples et communautés indigènes aux États-Unis, il fallait voir dans ce soutien la preuve que les efforts déployés par les activistes climatiques portaient leurs fruits : « Nous devons continuer à mettre la pression, car cela fonctionne[29]. »

Seul le temps nous dira si ces 150 millions de dollars sont le reflet d'une réelle prise de conscience de Bezos et ses amis et s'ils permettront de les rendre encore « plus redevables et responsables » à l'avenir. Ce qui est certain, c'est que 150 millions c'est un montant conséquent, voire historique, en termes absolus. Mais relativement faible comparé aux 500 millions de dollars attribués par Bezos aux « *big greens* » modérés comme Environmental Defense Fund, Natural Resources Defence Council, The Nature Conservancy, World Resources Institute et World Wildlife Fund, qui promeuvent activement les solutions de marché et le capitalisme vert. En d'autres termes, le choix de financer des mouvements pour la justice climatique ne s'est pas accompagné d'un désengagement vis-à-vis des grandes ONG et *think-tanks* plus

---

28. McDonnel, Tim (2020), « Jeff Bezos is now the Biggest Climate Activism Donor – and that's a Problem », *Quartz*, 17 novembre.

29. Tilsen, Nick (2020), « Shifting Power and Emboldening Indigenous-led Climate Solutions. NDN Collective on Bezos Earth Fund Grant », NDN Collective, 25 novembre.

disposés à défendre les intérêts des élites économiques. Bien au contraire.

Un rapide coup d'œil à l'organigramme du Bezos Earth Fund suffit à se convaincre que, pour Bezos, la justice climatique est plutôt un supplément salade que le plat de résistance. Le PDG de la fondation, Andrew Steer, est un vétéran du débat climatique. Avant de rejoindre le Fund, il dirigeait le World Resources Institute, un *think-tank* libéral proche du Parti démocrate et très prisé des élites climatiques. Avant cela, ce Britannique d'origine était l'envoyé spécial pour le climat à la Banque mondiale qui, comme nous l'avons vu, a joué un rôle central dans la promotion de mécanismes de marché pour résoudre la crise environnementale (voir chapitre 2). Le moins que l'on puisse dire, c'est que tout cela soulève de sérieux doutes quant à la centralité de la justice climatique dans l'engagement de Bezos en faveur du climat. Et explique que l'annonce de Bezos ait créé un si profond malaise au sein du mouvement. Accepter l'argent de son ennemi, c'est l'ultime humiliation, la preuve de son incapacité à s'extraire d'un système que l'on prétend renverser. Et l'on peut raisonnablement imaginer que Bezos le sait.

Uberiser le mouvement climat

Pour les plus fortunés inquiets de la crise climatique, « investir » dans les mobilisations et protestations, c'est ce qui se fait de mieux en termes de rapport coûts/bénéfices. En 2019, un petit groupe composé de certains d'entre eux – parmi lesquels l'entrepreneur et investisseur Trevor Neilson, Rory Kennedy, la fille de Robert Kennedy, et Aileen Getty, la petite-fille du magnat du pétrole Jean Paul Getty – a créé le Climate Emergency Fund. L'objectif affiché était de mobiliser leurs semblables en faveur d'organisations et mouvements engagés dans des actions protestataires non violentes. Au cœur de leur démarche, la logique entrepreneuriale et la culture du capital-risque devaient permettre d'atteindre un objectif immuable : se servir du mouvement pour promouvoir un capitalisme vert qui garantisse leurs intérêts de classe. De fait, à l'image d'un Al Gore, les activités professionnelles de Trevor Neilson sont directement liées à la transition bas carbone. Il dirige WasteFuel, une entreprise spécialisée dans la production de carburants renouvelables (méthanol vert) ; entreprise dont les clients et investisseurs incluent le géant danois du transport maritime et symbole du « capitalisme logistique[30] », Maersk. Avant de créer WasteFuel, il avait cofondé, avec le petit-fils de Warren Buffett, i(x) Net Zero, une société d'investissement spécialisée dans la transition énergétique et la durabilité en milieu bâti.

Cette logique entrepreneuriale se retrouve notamment dans le vocabulaire employé pour qualifier l'action philanthropique et la logique qui la sous-tend. Il s'agit, comme l'explique CEF sur son site Internet, de promouvoir une « philanthropie du risque » (*venture philanthropy*)[31]. Les mouvements de type XR et Fridays for Future sont qualifiés de « start-up innovantes » et présentés comme une extension en matière d'activisme climatique de leur propre approche d'investisseurs et d'entrepreneurs. Ils voient en eux « une solution puissante et rentable » à la crise climatique et un moyen de « disrupter » le mouvement climat. Dans leur viseur se trouvent notamment les ONG traditionnelles, accusées d'être peu agiles, trop bureaucratiques et coûteuses du fait de leurs « coûts généraux élevés » et de leur « dépendance envers des salariés nombreux, plutôt que des volontaires ».

Pour ces riches bienfaiteurs, investir dans XR et Fridays for Future, c'est investir dans des mouvements à leur image : innovants, entreprenants, agiles, prêts à prendre des risques. C'est une façon indirecte de se valoriser, de se légitimer et d'installer un peu plus la figure de l'entrepreneur innovant

30. Quet, Mathieu (2022), *Flux. Comment la pensée logistique gouverne le monde*, Paris, La Découverte/Zones, p. 33.

31. Klein Salamon, Margaret (2021), « Venture Philanthropy for the Climate Emergency Movement. Funding Transformative Startups », site internet du Climate Emergency Fund, 7 septembre, visité en octobre 2022.

au cœur du débat climatique et de la société en général. La composition socio-professionnelle de ces mouvements tend d'ailleurs à renforcer cette idée. Dans un rapport publié en juillet 2020, des chercheurs britanniques montrent que les activistes de XR sont non seulement très éduqués, mais aussi pour beaucoup des travailleurs indépendants, notamment issus des « industries créatives »[32].

Dès lors que les riches philanthropes assimilent leurs financements à des investissements, ils favorisent une approche proactive axée sur des indicateurs clés de performance et l'élaboration de « business plans »[33]. En conditionnant leur soutien à l'adoption d'une logique et de pratiques entrepreneuriales, ils contribuent un peu plus à les ancrer au cœur du mouvement climat, y compris chez ses éléments les plus radicaux, et ce, au détriment de modèles alternatifs d'organisation, plus adaptés aux réalités du terrain et aux enjeux de la justice climatique. Pour justifier cette approche, ils insistent sur l'urgence de la situation et l'étendue du problème, mais aussi sur le caractère limité des moyens disponibles. Puisque la philanthropie climatique représente moins de 2 % du total des fonds philanthropiques, nous expliquent-ils, l'approche stratégique et entrepreneuriale est essentielle pour avoir un impact.

Mais, à l'image de leurs investissements dans les start-up, les philanthropes du mouvement climat sont avant tout motivés par les retours immédiats. En bons capital-risqueurs, ils privilégient les investissements à court terme et faciles à délester en cas de nouvelle opportunité plus alléchante. Dans le courant 2020, plusieurs mouvements en ont d'ailleurs fait

---

32. Saunders, Clare, Brian Doherty et Graeme Hayes (2020), « A New Climate Movement. Extinction Rebellion's Activists in Profile », CUSP Working Paper No 25, Guildford, Centre for the Understanding of Sustainable Prosperity.

33. Rimel, Rebecca (1999), « Strategic Philanthropy. Pew's Approach to matching Needs with Resources », *Health Affairs*, 18(3), mai-juin, p. 230 ; Bishop, Matthew et Michael Green (2008), *Philanthrocapitalism. How the Rich can save the World*, Londres, Bloomsbury Press, p. 85.

les frais. Comme le constate la journaliste Amy Harder, la crise du covid et la désignation du modéré Joe Biden dans la course à l'investiture démocrate ont entraîné un revirement stratégique du côté de certains riches donateurs du Climate Emergency Fund. Les restrictions liées à la pandémie et le retour des démocrates à la Maison-Blanche les ont amenés à délaisser les mobilisations de rue au profit d'initiatives « bipartisanes » moins radicales et centrées sur les décideurs politiques de Washington[34].

Se bercer d'illusions

Lorsqu'on l'interroge sur les raisons qui l'ont amené à reverser près de 200 000 livres sterling à Extinction Rebellion, le milliardaire financier Christopher Hohn explique que « c'est parce que l'humanité est brutalement en train de détruire le monde avec le changement climatique et qu'il y a un besoin urgent pour nous tous de prendre conscience de cela[35] ». Ce que Hohn omet d'expliquer, c'est que son soutien, par le biais de sa fondation CIFF, s'inscrit dans une stratégie plus large, à l'image du Bezos Earth Fund, de promotion d'une certaine idée de la transition bas carbone. Il suffit d'ailleurs de regarder à qui sa fondation consacre la majeure partie de ses fonds. Loin de signaler un revirement stratégique, son financement d'Extinction Rebellion marque une nouvelle étape dans son effort de contrôle et d'orientation du débat.

Du côté d'Extinction Rebellion, les explications données sont révélatrices de leur méconnaissance des intentions de Hohn et des autres ultra-riches qui les financent. Roger Hallam, l'un des fondateurs de XR, évoque ainsi l'urgence de la crise : « La situation est urgente, et on doit donc prendre des risques. L'urgence, ça veut dire que si on se plante, c'est

---

34. Harder, Amy (2020), « Climate-Change Funders shift Focus amid Pandemic and Election », *Axios*, 14 mai.

35. Armour, Robert (2019), « Extinction Rebellion on Road to becoming Millionaires », TFN, 11 octobre.

terminé. On aura l'effondrement social. Le fascisme. Ça va être terrible[36]. » Cette urgence concerne aussi les ultra-riches : « On a affaire à des riches qui pleurent la nuit comme nous ! Les riches non plus ne veulent pas mourir ! Les riches s'inquiètent pour leurs enfants. » Avant de conclure : « Que voulez-vous qu'ils fassent ? Qu'ils se suicident et qu'ils brûlent tout leur argent ? » En tentant de justifier son approche, Hallam contribue aussi à justifier les ultra-riches. Eux aussi souffrent d'éco-anxiété. Ils sont, au fond, comme vous et moi. Avec son million de livres de revenus quotidiens en 2020, Hohn est l'un des nôtres[37].

À aucun moment, Hallam ne s'interroge sur les véritables raisons ayant mené Hohn et consorts à lui verser de l'argent. Il se contente de les croire sur parole ou du moins à faire semblant de les croire. Or, si la crise climatique inquiète effectivement les ultra-riches, leur inquiétude renvoie à des enjeux qui leur sont propres et concernent leur statut de classe. La planète, c'est un peu comme le *Titanic* : tout le monde se dirige vers l'iceberg mais ce sont les riches passagers qui commandent le navire et qui, en cas de collision, auront prioritairement accès aux canots et aux gilets de sauvetage. L'iceberg climatique, ils ont aussi intérêt à l'éviter, mais en cas de collision, ils ont intérêt à s'assurer que les classes inférieures du navire ne se retournent pas contre eux. Si Hohn et d'autres ultra-riches choisissent de financer XR, c'est pour asseoir un peu plus leur contrôle sur le navire. Et l'inquiétude exprimée par Hohn n'est pas celle d'un citoyen lambda, mais bien celle d'un milliardaire. Ce qui est en jeu, ce sont ses intérêts économiques et son pouvoir.

---

36. Hallam, Roger (2019), « Should we take their Money? », Extinction Rebellion, vidéo YouTube, 20 août : https://www.youtube.com/watch?v=-UbHHv06QVBs.

37. Ward, Tom (2020), « Sir Chris Hohn. The Man who earned £1 Million a Day », *Gentleman's Journal*, 26 octobre.

L'effet miroir

On l'a vu, de Davos à l'université d'été du Medef, il est désormais de bon ton d'inviter des voix critiques et radicales et de s'afficher auprès d'elles. À l'unisson, les médias s'extasient devant le « courage » et l'« audace » d'une Greta Thunberg et d'un Aurélien Barrau. Les extraits vidéo se répandent à toute vitesse sur les réseaux sociaux et leurs soutiens se gargarisent d'avoir mis les élites face à leurs responsabilités. « Dire la vérité aux puissants. » Tel est le mot d'ordre. Or on prend rarement le temps de s'interroger sur les raisons profondes qui ont poussé les dirigeants du Medef et du Forum économique mondial à inviter ces trouble-fête. On part du principe qu'ils n'avaient pas le choix. Que, face à la puissance du mouvement et sa résonance médiatique, ils se devaient de l'écouter. Et si, au contraire, les tribunes à Davos et les offres de financement (acceptées) étaient moins l'expression d'une évolution des élites que le reflet d'une faiblesse structurelle du mouvement climat ? Et si c'était la preuve que, malgré ses slogans chocs et ses actions de plus en plus spectaculaires, le mouvement climat ne constituait pas une menace pour l'ordre établi mais plutôt, et bien malgré lui, une force d'appui au « *business as usual* » ? S'interroger sur les raisons sous-jacentes qui poussent les ultra-riches à soutenir le mouvement climat, c'est se confronter à ses propres faiblesses et incohérences. Et ce n'est pas agréable. Mais c'est indispensable, car la transition juste ne pourra pas aboutir sans rupture nette avec les élites et leur calendrier climatique mortifère, où se succèdent indifféremment COP, forums et sommets climatiques.

Au cours des dernières années, la multiplication des mobilisations climat couplée à un contexte politique et social bouillonnant a ouvert des brèches, et ce, malgré les efforts des élites climatiques. Les Gilets jaunes en France, Black Lives Matter aux États-Unis, la mobilisation #MeToo, pour ne citer qu'eux, ont, compte tenu de leur ampleur, contribué à installer la justice, sous toutes ses formes, au cœur du débat sur la transition bas carbone. Ils ont fait évoluer le récit et le rapport de forces. Désormais, les élites climatiques parlent à leur tour de « justice », d'« équité », de « changement systémique » et de « transition juste ». Mais cette réappropriation des questions de justice n'est qu'un artifice et ne change rien à leur projet politique sous-jacent : un projet hégémonique centré sur le technosolutionnisme, les mécanismes de marché et la prise en charge des risques et des coûts de la transition par la collectivité ; un projet qui leur donne le beau rôle et célèbre les milliardaires entrepreneurs et les capital-risqueurs comme héros de la transition bas carbone, et désormais, de la justice climatique. Un projet, enfin, qui place leurs intérêts de classe avant ceux des autres et de la planète. C'est à ce projet hégémonique qu'il faut désormais s'attaquer.

Conclusion

Faut-il manger les riches ?

> « Il est en mission pour sauver l'humanité
> Avec ses blagues pourries et sa vanité galopante
> Le champion autoproclamé de la liberté d'expression
> Il a un bouton "muet" à portée de main
> Il est prêt à s'acheter n'importe quoi, et à n'importe quel prix
> C'est un milliardaire en pleine crise de la quarantaine. »
>
> Brian Bilston, 28 octobre 2022[1]

« We are the world »

Faut-il « manger » les riches pour sauver le climat ? Dans une tribune datée du 13 septembre 2022 et publiée dans le journal *Libération*[2], le politologue François Gemenne estimait que « non » : « La lutte contre le changement climatique est avant tout une lutte pour garder la Terre habitable pour tous et pour toutes. » Avant de poursuivre : « Encore importe-t-il d'identifier correctement l'adversaire au-delà de la formule

1. « He's on a mission to save humanity / Armed with crap jokes and rampant vanity / The self-styled champion of free speech / He's got a mute button in easy reach / He'll buy anything no matter what the price is / He's a billionaire in a midlife crisis », extrait du poème « Billionaire in a Midlife Crisis ».

2. Gemenne, François (2022), « Faut-il "manger" les riches pour sauver le climat ? », *Libération*, 13 septembre.

un peu facile et creuse selon laquelle l'écologie sans lutte des classes ne serait qu'un aimable jardinage. » Ce qui nous dérange avec les ultra-riches aux « comportements climaticides » serait qu'ils donnent l'impression « d'être hors-sol littéralement, ou d'avoir renoncé à l'idée d'un “monde commun” pour reprendre l'expression de Bruno Latour ». Dès lors, écrit Gemenne, leur apparente inaction servirait de prétexte à notre propre inaction : « Combien, en voyant l'énorme empreinte carbone des autres, renoncent à agir eux-mêmes, persuadés que la lutte contre le changement climatique est une question binaire, une bataille que l'on gagnerait ou que l'on perdrait ? Chaque tonne de dioxyde de carbone qui n'est pas émise, pourtant, fait une énorme différence. » En somme, en se focalisant sur les comportements des riches, on se trompe de combat, voire pire : on contribue à aggraver le problème.

Le problème de cette analyse est qu'elle réduit les ultra-riches à des symboles et le débat climatique à une simple question de tonnes de dioxyde de carbone émises dans l'atmosphère du fait de comportements irresponsables. Or les ultra-riches sont plus que des symboles, bons ou mauvais, et plus que des gros émetteurs de carbone. Ils sont, comme nous l'avons vu, des acteurs engagés et influents du débat ; des acteurs qui délimitent et imposent le champ des possibles en matière d'action climatique. Ils forment une classe consciente d'elle-même, de sa responsabilité et de ses intérêts. Une classe dont certains membres « éclairés » ont compris qu'ils avaient plus à gagner (ou du moins, moins à perdre) en s'engageant et en orientant le débat, qu'à rester spectateurs d'un drame dont ils sont largement responsables. Une classe, enfin, qui a compris que, compte tenu des risques – économiques, politiques, sociaux – que fait peser la crise climatique sur son patrimoine et son pouvoir, elle avait intérêt à agir. Les riches ne sont pas hors-sol. Et c'est justement ça le problème.

Ils partagent certes, et bien malgré eux, la même atmosphère que vous et moi mais, et contrairement à ce qu'ils voudraient nous faire croire, cela ne fait pas d'eux des citoyens comme les autres. L'intérêt des riches à léguer une planète à peu près habitable à leurs enfants ne se substitue pas à leurs intérêts de classe. Ce sont leurs intérêts de classe, tout autant que leur éco-anxiété, qui les ont conduits à s'engager en faveur de « solutions » et politiques climatiques qui, à défaut de réduire les émissions, consolident leur pouvoir. Ce sont leurs intérêts de classe qui les ont amenés à marginaliser les voix discordantes et les solutions alternatives qui n'émanent pas de leurs rangs. Ils ont beau nous parler, feignant l'émotion, d'apocalypse, d'effondrement, de planète qui brûle et de point de non-retour, leur urgence climatique n'est pas la nôtre, et encore moins celle des populations vulnérables déjà frappées par les effets du réchauffement.

Le fait, à l'image d'un Jeff Bezos à bord de sa fusée, de contempler la Terre depuis l'espace donne certes le sentiment d'un monde uni, indifférencié et fragile, mais n'efface pas pour autant les inégalités et les rapports de domination bien réels qui le traversent. Cela n'efface pas le fait que les « émissions de luxe » d'un riche et de son jet privé n'équivaudront jamais, ni quantitativement ni qualitativement, les « émissions de survie » d'un paysan indien utilisant un four de cuisson au charbon pour se chauffer et nourrir sa famille[3]. Cela n'efface pas non plus le fait que 2 °C en plus au niveau mondial, ça n'est pas pareil dans les bidonvilles de Jakarta et dans les beaux quartiers de Paris. Enfin, ça n'efface pas les responsabilités particulières des ultra-riches dans le problème et sa non-résolution. Leur responsabilité en tant que gros émetteurs d'abord, du fait de leurs modes de vie et de leurs investissements carbonifères. Et leur responsabilité politique, ensuite, du fait de leur mainmise sur le débat climatique et les choix politiques qui ont été promulgués ces vingt dernières années… avec le succès que l'on connaît. C'est cette seconde dimension, inséparable de la première mais trop souvent éludée, dont nous avons traitée dans cet

---

3. Agarwal Anil, et Sunita Narain (1991), *Global Warming in an Unequal World. A Case of Environmental Colonialism*, New Delhi, Centre for Science and Environment.

ouvrage. Les faits sont têtus. Ce sont les riches qui détruisent la planète.

Briser les chaînes

La multiplication des actions spectaculaires visant les riches et leurs modes de vie climaticides – comptes Twitter suivant les déplacements du jet de Bernard Arnault, projections de peinture sur les boutiques de luxe, dégonflages de pneus de SUV, bouchages de trous de parcours de golf – est un pied de nez au cadrage dominant et aux élites climatiques qui le façonnent. Ce sont autant d'expressions de désobéissance et d'émancipation vis-à-vis de ces mêmes élites. Ces actions marquent une prise de distance avec l'agenda et la stratégie imposés et le dépassement d'un discours binaire – pour ou contre le climat, pour ou contre la science, pour ou contre l'« action » ; une prise de distance qui fait fi des injonctions à se ranger « du bon côté de l'histoire », c'est-à-dire du côté de Jeff Bezos, d'Al Gore, de McKinsey, des marchés carbone, du technosolutionnisme et du capitalisme vert. C'est un pied de nez salutaire aux experts en communication et autres membres de la « jet-set climatique » qui, au nom de l'urgence et en jouant sur les peurs, ont imposé leur « récit » au mouvement climatique. L'urgence, leur rétorque les activistes, est climatique *et* sociale. Climatique *et* démocratique.

Désormais, être « du bon côté de l'histoire », c'est pointer du doigt la complaisance d'Al Gore, de Christiana Figueres et des autres « vaches sacrées » du débat climatique à l'égard des puissances d'argent. C'est, à l'image d'un Kevin Anderson, critiquer à la fois l'accord de Paris, le fossé qui sépare l'objectif des 1,5 °C, ainsi que les moyens envisagés pour l'atteindre, *et* dénoncer les pressions subies pour valider l'accord. C'est, enfin, imaginer et mettre en œuvre une nouvelle théorie de l'organisation politique permettant à la fois de briser les chaînes qui ont trop longtemps assujetti le mouvement climatique aux intérêts des élites et d'engager un rapport de forces avec ces mêmes élites. Il faut non seulement s'émanciper du discours binaire imposé, mais aussi, et comme le suggère Rodrigo Nunes dans *Neither Vertical nor Horizontal*[4], dépasser les binarismes organisationnels – verticalité/horizontalité, centralisation/décentralisation, unité/diversité, organisation/spontanéité, parti/mouvement. Il s'agit, comme le résume Davide Galle Lassere, « de penser [...] en termes écosystémiques l'espace dans lequel les différents sujets s'efforcent de transformer le monde[5] ».

En ciblant les ultra-riches et en pointant du doigt leur responsabilité dans la crise climatique et sa non-résolution, on crée les conditions d'un écosystème qui rassemble au-delà du seul mouvement climat. Car les politiques climatiques mises en œuvre à leur profit – à base de cadeaux fiscaux, de crédits d'impôts, de prêts garantis, de partenariats public/privé (PPP), d'engagements volontaires et de mécanismes de marché – ont un prix élevé pour la société. En plus d'être inefficaces, elles font injustement peser le risque et le coût financiers des politiques de transition sur la collectivité. Ces cadeaux faits aux riches sont autant de milliards non investis dans un véritable service public des transports et de l'énergie verte, et autant de coupes budgétaires dans les dépenses sociales, de santé, de culture et d'éducation pour les financer. Fin du monde. Fin du mois. Fin des ultra-riches. Même combat.

4. Nunes, Rodrigo (2021), *Neither Vertical nor Horizontal. A Theory of Political Organization*, Londres, Verso.

5. Gallo Lassere, Davide (2022), « Quelle organisation politique devons-nous construire ? À propos du livre de Rodrigo Nunes », *Nouveaux Cahiers du socialisme*, 19 janvier.

Remerciements

Tout d'abord, je tiens à chaleureusement remercier les éditions La Découverte pour leur confiance, et en particulier Rémy Toulouse pour son soutien, ses conseils avisés et sa gentillesse. Merci à Laurent Jeanpierre et Catherine Le Gall pour leurs encouragements et leur aide au début du projet. Merci aux brillants chercheurs et courageux activistes avec qui j'ai eu le plaisir d'échanger et travailler au fil des années. Vous m'avez énormément appris. Merci à mes incroyables collègues et étudiants à la University of London Institute in Paris. Merci aux copines et copains du Morty Jazz Festival. Vous êtes une bouffée d'air frais ! Et merci, enfin, à ma compagne, Anabella, et mes enfants, Inès et Marta, pour leur patience et leur amour.

Table des matières

Introduction. À qui profite la crise ? 7
Entrisme et entre-soi 11
La jet-set climatique 13
Fin du monde et petits fours 15

1. Une conscience climatique de classe 19
Une soirée à Belgravia 21
Mobiliser les riches 23
Salut (et profits) 28
Orienter le débat 32
Nouvel esprit vert du capitalisme 34
L'arme philanthropique 37
Légitimer les « entrepreneurs-à-succès-devenus-philanthropes » 39
Bloomberg à l'Élysée 41

2. Poumons de la Terre et pompes à fric 43
L'ère des *lairds* verts 44
Le stade Nouvelle-Zélande du capitalisme vert 48
Les entrepreneurs du climat entrent en scène 50
Les forêts au menu de la COP13 53
Costa Rica : une affaire de famille 56

Je pompe donc je suis 60
Carbon cowboys 62
Les riches s'y mettent 64
Le Prince's Rainforests Project 67
REDD is not dead 70

3. L'éléphant dans la pièce 73
La Firme 74
McKinsey, c'est l'anarchie 77
Le marchepied Vattenfall 79
La courbe des coûts marginaux de réduction des émissions de gaz à effet de serre 82
Structurer le travail climatique 85
Occuper le terrain et crédibiliser la firme 88
Infiltrer 90
« Pitch me ! » 93
Conçu pour gagner 95
Project Catalyst 97
L'après-COP15 101
Interpréter l'échec 103

4. ***Make our blabla great again*** 105
Le « climategate » comme moment fondateur 111
Copier l'ennemi 114
La frontière entre « pro » et « anti » climat s'estompe 116
Un capitalisme vert à visage humain 120
Le business de l'optimisme 122
Chassez le réel, il revient au galop 125

5. Une photo avec Greta 131
Je t'aime, moi non plus 131
Un mouvement dépendant 134
Mobiliser les marges 137
« Signaux » et « momentum » 140
Diviser pour mieux régner 143
Uberiser le mouvement climat 145
Se bercer d'illusions 148
L'effet miroir 150

Conclusion. Faut-il manger les riches ? 153
« We are the world » 153
Briser les chaînes 156

Remerciements 159

Cet ouvrage est imprimé
sur du papier issu de forêts
gérées durablement.

Composition Facompo, Lisieux.
Achevé d'imprimer par CPI Bussière
à Saint-Amand-Montrond (Cher).

Dépôt légal du 1er tirage : février 2023
Suite du 1er tirage (3) : août 2023
Numéro d'imprimeur : 2073186
Imprimé en France